KB097171

안전디자인으로서 해양교통 시각물의 형태와 의미

저자 이가영

안전디자인으로서 해양교통 시각물의 형태와 의미

초판 1쇄 발행 2024년 01월 05일

지은이_ 이가영
펴낸이_ 김동명
펴낸곳_ 도서출판 창조와 지식
인쇄처_ (주)북모아

출판등록번호_ 제2018-000027호
주소_ 서울특별시 강북구 덕릉로 144
전화_ 1644-1814
팩스_ 02-2275-8577

ISBN 979-11-6003-682-4(93600)

정가 16,000원

[본 저서는 2020년 대한민국 교육부와 한국연구재단의 인문사회분야 신진연구자지원사업의 지원을 받아 수행된 연구임(NRF-2020S1A5A8045216)]
[This work was supported by the Ministry of Education of the Republic of Korea and the National Research Foundation of Korea(NRF-2020S1A5A8045216)]

안전디자인으로서

해양교통 시각물의 형태와 의미

해양교통시각물과 커뮤니케이션

조형성

색 상

형 태

기호학과 의미화

기호학을 통한 의미화 과정

항로표지

프롤로그

인류는 오래전부터 바다를 이용하기 위해 선박을 만들고 하늘에서 관측되는 천체의 패턴을 바탕으로 바다 위에서 방향감각을 얻었고, 나침반과 해상시계 등을 개발하여 어둡고 낯선 바다에서 안전한 항해를 위해 노력하였다. 오늘날 배의 항해를 돕기 위해 필요한 바다에서의 시설물들, 도구와 장비는 선조들의 오랜 동안의 도전과 시행착오를 반복하며 만들어지게 된 것이다. 그중에서 안전한 항해를 위해 독특하게 고안된 여러 가지 형태와 색상을 지닌 시설물들에 대해 다루고자 한다. 이러한 시설물들은 바다에서 의사소통을 위한 커뮤니케이션 도구로서 시각 기호에 해당되며 상호 간의 약속에 따라 시각적 텍스트를 형성한다. 해양교통에 사용되는 표지는 다소 생소한 전문용어와 기하학적 형태를 사용하고 있으므로 비전문가들이 이해하고 접근하기 매우 어렵다. 그러나 이러한 커뮤니케이션 시설을 단순히 바다에서 일어나는 그들만의 전문 언어라고 생각하고 무관심하게 지나치는 것은 시각커뮤니케이션을 다루는 학문의 진보적 발전에 도움이 되지 않는다는 생각을 하게 되었고, 이러한 의사소통 방법이 나타나게 된 배경을 포함해서 해양교통 시설이라는 전문 분야를 순수하게 시각디자인의 관점에서 다루어 보았다. 본 저서에는 배와 바다에서 사용되는 시설들의 역사와 유래에 대해 알아보고, 우리 일상의 안전디자인과 공공디자인에서 나타나는 커뮤니케이션 방법과 비교를 해보았다. 바다에서의 시설물은 공공디자인의 카테고리에 들어 있지만 동시에 안전디자인의 영역에도 존재하고 있기에 같지만 다른 면들이 존재한다. 이를 살펴보기 위해 조형 이론에 따라 색상과 모양을 분석하고 그러한 모양과 색상이 사용된 유래에 대해 알아보았다. 기호 사용의 이해를 높이기 위해 퍼스의 기호학적 유형분류 방법을 활용하여 커뮤니케이션 방법, 색상, 모양의 관계를 파악하면서 의미작용 관계를 분석하였다. 연구를 하면서 신재생에너지로서 바다의 발전시설이 계속 나타나고 있는데 형태가 항로표지와 매우 비슷하다는 점을 발견하게 되었다. 이러한 발전시설물을 앞으로 바다에서 어렵지 않게 접하게 될 수도 있을 것으로 전망되는데 이번 연구를 시작으로 바다에서의 교통안전을 위해 안전디자인의 시각에서 필요한 형태와 색상의 디자인들이 계속 나타날 것으로 기대된다. 바다에서의 교통표지라는 다소 생소한 분야를 이해하고 접근하는데 조언을 주신 분들과 후원해 주신 한국연구재단 관계자분들께 감사의 말씀을 드린다.

2024년 1월

이 가 영

1장

해양교통 시각물과 커뮤니케이션

1

역사와 유래

선박의 시각물

바다는 도로와 다르게 교통운송수단으로 붐비지 않으면서 넓고 평화로운 공간처럼 보인다. 먼 바다로 나가면 바다와 구름 이외에는 눈에 보이지 않는 곳이 많고 그렇기 때문에 신호등은 당연히 필요하지 않을 것으로 여겨진다. 넓은 바다에서 배가 서로 비켜가지 못하고 충돌하는 것이 이상해 보이지만, 순간적인 실수로 충돌이나 좌초가 일어나게 되면 엄청난 인명피해나 경제적인 손실이 발생된다. 오래전부터 원양항해를 하던 유럽 국가들은 분명히 이러한 충돌의 위험성을 판단하여 교통체계를 만들어 사용하였을 것이다. 당시 원양을 항해하던 범선은 전 세계적인 수요와 공급에 따라 화물을 옮기고, 인원을 나르는 등 바다에서 화물을 이동하는 중요한 수단이었다. 일반적인 해양 국가들은 바람이 없으면 항해할 수 없고 배는 천천히 움직인다는 것이 상식으로 여겨졌었다. 그러나 19세기 중반 증기 동력 선박의 출현으로 풍향과 풍속에 관계없이 마음대로 움직일 수 있는 변화가 일어났다. 증기선의 안전을 다룬 1838년 미국 의회 법령의 일환으로 일몰과 일출 사이를 운행하는 증기선은 하나 이상의 신호등을 표시하도록 하였고 1848년도에 영국은 증기선이 적색 및 녹색 측면등과 흰색 마스트헤드 등을 표시하도록 요구하는 규정을 발표했다.[1)] 그러나 증기선의 사용으로 해상교통 활동이 폭발적으로 늘어나면서 선박 간의 충돌 가능성이 높아지기 시작했다. 특히 1861년도 미국에서 남북 전쟁이 발발한 당시 많은 내륙 수로와 항구의 교통량이 평시보다 몇 배나 증가한 것으로 알려져 있었다. 당시 상선과 충돌 피해를 입었던 해군은 해결방안을 모색하게 되었다.

그림 1 미국 남북전쟁당시 해상 전투장면

미국 해군은 1864년 5월 4일에 일반 명령 34호를 발행하여 모든 해운 회사에 널리 배포하였다. 그 내용에는 증기선과 범선

1) https://www.allatsea.net/the-history-of-the-rule-of-the-road/

을 포함한 모든 종류의 선박에 대해 통과 및 추월에 대한 규칙 그리고 야간 조명에 대한 규칙이 포함되었다. 이러한 시도가 국제적인 규범을 만들기 위한 노력으로 이어지면서 1890년 워싱턴 DC에서 열린 제1차 국제해양회의에서 공해상의 상업용 선박과 해군 선박 모두의 통행에 대한 규칙이 국제 관행으로 확정되었다. 이후 1897년 미국 의회는 내수면에서 회피와 추월에 대한 법안을 통과시키면서 바다에서 교통을 위한 시각물이 생겨나게 되었다. 그러나 각 나라별로 상이한 교통안전 시각물을 만들면서 타국에서 오가는 선박들이 그 의미를 파악하는데 어려움이 발생되어 혼란이 있었다. 이러한 어려움을 극복하기 위해 만들어진 충돌방지예방 규정은 회원국과 협의를 바탕으로 1972년 국제해사기구에서 처음 도입하게 되었다. 이러한 국제해상충돌방지예방 규칙이 제정되면서 공해 상에서 운항하는 모든 선박들에게 기본적인 항해 규칙으로 적용되었다. 이러한 규칙에 따라 선박에는 교통에 필요한 시각적 표현수단으로 기하학적인 모양의 형상물이 나타났고 오늘날까지 이어지고 있다.[2)]

2) https://alphacadet.in/the-surprising-history-behind-the-origin-of-colregs/

항로표지

<부유식 부이>

바다에서 근무하는 선원들은 등대, 부표, 표지를 안전한 항구로 안내하는 이정표로 활용하고 있다. 역사에 기록된 최초의 등대는 기원전 3세기경 이집트 알렉산더항 입구에 세워진 알렉산드리아의 파로스(The Pharos of Alexandria)로 알려져 있다. 역사에 따르면 이후 로마제국에서 등대를 많이 세웠고, 그 전통은 프랑스와 영국에 의해 계승된 것으로 알려져 있다.[3] 바다에 떠있는 표지에 대해서 역사상 처음으로 기록된 부표는 1295년 중세 선원매뉴얼(La Compasso de Navigare)에서 언급되고 있다. 과달키비르 강에 위치한 이 부표는 스페인 세비야에 접근하는 배를 안내한 것으로 전해지고 있다. 또한, 중세 후기에는 벨기에의 현재 뮤즈로 알려진 마스(Maas) 강에 있는 부표에 대한 기록이 있었다. 초기 부표는 밧줄로 고정된 나무 뗏목이었고, 나중에는 사슬로 연결하여 무거운 돌에 고정된 형태로 발전하였다. 30년 후에 기록된 북부 유럽 해역의 첫 번째 부표는 주이더지(Zuider Zee)로 언급되었으며 블리(Vlie) 강에서 암스테르담과 캄펜

---

3) 이은, 해양교통관제시스템론, 해인출판사, 2005.7.

의 상업 중심지로 배를 안내한 것으로 전해지고 있다.[4]

역사상 바다의 이정표인 항로표지를 국가에서 주도적으로 관리한 나라는 영국이었다. 1514년에 헨리 8세는 해운업을 지원하기 위해 선원 및 선원 길드에 지원을 유지하는 헌장을 부여했고 이 헌장의 결과로 항로표지 관리기관인 트리니티하우스(Trinity House)가 탄생되었다. 이후 1566년 엘리자베스 1세가 법령(Seamarks Act)을 제정하면서 트리니티하우스를 만들었다.[5] 트리니티하우스는 17세기 초까지 바다의 측량, 조종사 면허, 부표와 표지업무를 하였다. 이때 최초로 사용된 부표는 맥주통 모양이 사용된 것으로 알려졌으며 이후 시토넨(Seetonnen)이라는 원뿔형 부표가 나타났다.

그림2와 같이 높이 3미터 직경 1.5미터로 참나무를 가공하여 만들어졌는데 외곽부분을 고정 틀을 사용하여 그 형태를 유지했다.

---

4) https://uslhs.org/buoys-0

5) https://www.trinityhouse.co.uk/about-us/history-of-trinity-house/th500

그림 2 16세기 유럽에서 사용된 시토넨 부이(Seetonnen Buoy)

독일에서는 연안 부표에 대한 형식을 1887년에 발표하였다.[6] 부표의 모양은 의미를 담은 것으로 보이는 여러 가지 모양을 갖추고 있다. 이러한 모양들은 그림3과 같이 분류 될 수 있다. 그림3의(1번, 2번) 하울링 부이에는 파도에 따라 부표가 위아래로 움직일 때 자동으로 작동하는 하울링 호루라기 소리가 장착되어 있으며 안개가 끼고 짙은 날씨인 밤에 주의를 끌었다. 어떤 등부표는 거친 파도가 벨을 치면 진동하는 벨로 두 개의 쉽게 움직일 수 있는 해머가 있었다. 모양 측면에서 보면 부이(4번, 5번)는 물 위의 두꺼운 막대 또는 빔 모양이고 6번은 물 위에서 원뿔 모양을 갖추고 있다.

[6] http://www.zeno.org/Meyers-1905/A/Tonnen

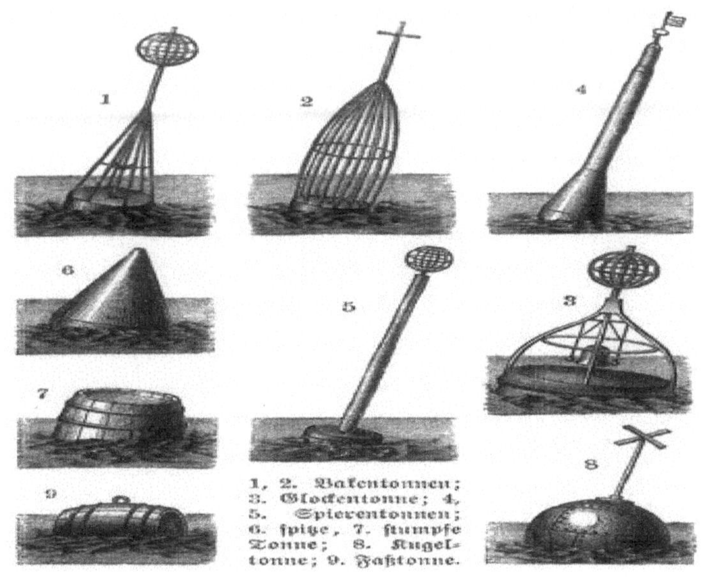

그림 3 1887년 독일연안에서 사용된 부표

미국은 18세기 후반에 식민지와 이동이 잦은 항구지역에서 항해하는 것을 돕기 위해 다양한 모양과 색상의 표지와 부표를 설치했고 초기 부표의 형태는 나무통과 첨탑으로 구성되었다. 19세기 이후에는 부표에 색상이 적용되면서 빨간색, 검은색 또는 흰색이 활용되었다. 녹색 또는 녹색과 다른 색상의 조합은 난파선을 표시하는 부표에 사용되었다. 그러나 수년 동안 부표는 일반적으로 특정 규율로 결정되지 않았다. 1850년 이전에 일부 미국 항구는 수로의 오른쪽에 빨간색을 사용하기 시작했는데, 이는 영국 리버풀 항구에 기항하는 미국 상선에서 통상적으로 사용된 방법이었기 때문으로 알려져 있다. 미국에서는 금속 가공 기술의 발전으로 부표 디자인이 크게 향상되었고 강철 부표는 방수 구획을 형성하는 내부 격벽으로 구성되었다. 이를 통해 신뢰성과 내구성이 향상되었다.

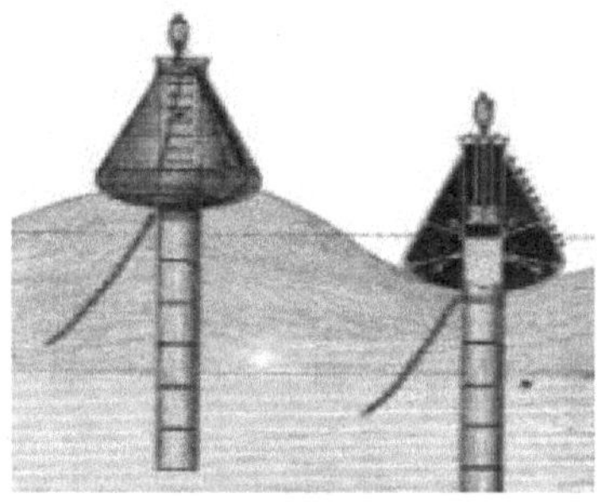
그림 4 휘파람 부이

그림 5 아세틸렌 화염부이

산업혁명의 흐름에 따라 부표도 다양한 아이디어들이 나타났는데 1876년도에는 파도의 흐름으로 부표 내부의 튜브를 통해 소리를 만들어내는 휘파람 부표가 있었고 빛을 생성하기 위해 일정한 화염을 발생시키는 부이를 제작했는데 1910년에는 일정한 화염을 발생시켜 빛을 내는 고압 아세틸렌 부표를 사용했다. 고압 탱크는 다른 방법보다 훨씬 많은 양의 가스를 공급하여 부표를 몇 달 동안 계속 켜둘 수 있었다. 1950년대에 축전지의 등장으로 서서히 아세틸렌을 대체할 수 있었고 전지의 충전으로 전구의 빛을 만들 수 있었다.[7]

[7] https://uslhs.org/buoys-0

<등 대>

등대의 고대 역사에 대한 기록은 충분히 연구가 이루어진 자료가 있으므로 유래에 대한 내용은 주강현(2018)의 등대의 세계사와 같이 등대에 무게를 둔 서적에서 찾을 수 있다. 본서는 전문적인 역사에 대한 내용보다는 시각적 형태에 초점을 두고 있으므로 형태와 색상이 잘 드러나고 있는 근대 이후의 유래에 대해 간략하게 둘러보았다. 근대 이후부터 영국에서는 등대가 항해에 도움을 주기 위해 세워졌을 뿐만 아니라 17세기 초부터 수익 창출을 위해 세워졌다. 등대는 영국의 지방정부로부터 회비를 징수할 수 있는 허가를 받은 개인이 의뢰하고 건설했다. 이 당시 등대는 항구와 항구로의 항해에 주로 사용되었기 때문에 밤에 정박하는 선박은 등대 비용을 지불해야 했고 이를 통해 높은 수익을 거둘 수 있었다. 1836년의 등대법은 영국의 트리니티하우스가 나머지 개인 소유의 등대를 책임지도록 하고 있었다. 오늘날에도 그렇지만 당시의 등대는 숨겨진 바위, 암초 및 곶과 같은 위험에 대해 선원에게 경고하는 데 사용되었다. 또한, 수로에 대한 교통량이 증가함에 따라 배를 항구로 원활하게 안내하고 보호하는 역할을 하였다. 영국 뉴캐슬에서 런던으로 가는 석탄 항로를 이동하다가 길을 잃은 선박의 수가 증가함에 따라 배의 선주들은 해상표지(Seamarks)에 대한 청원을 하였고 트리니티하우스는 1609년에 촛불 조명이 있는 한 쌍의 목조 타워인 로스트 오브 라이트하우스(Lowestoft Lighthouse)를 설치하게 되었다.

이후 18세기 후반까지 석탄이나 장작불은 등대 조명으로 사용되었다. 로버트 스티븐슨(Robert Stevenson, 1772 ~ 1850)과 같은 등대건축 엔지니어들이 이후 등대의 타워 디자인을 더욱 개선하기도 했고 빛의 강도를 높이는 기술을 많이 발전시켰다. 다양한 광원, 마운팅, 반사경 디자인, 프레넬 렌즈 사용, 회전방법 등 혁신적인 방법을 사용하였다. 이는 선원들이 고유한 빔 패턴으로 다른 등대를 식별할 수 있도록 했다. 이후 기술의 발전이 거듭되면서 양초와 기름 램프가 등장하여 기존의 불타는 장작더미를 대체했고, 1860년대부터 가스는 등대 조명의 주요 연료가 되었으며 기름보다 훨씬 더 강력한 빛을 발휘했다. 동시에 전기 조명 사용도 연구되었다. 최초의 전기 조명 등대는 1862년 던지니스(Dungeness)에 있었지만 전기가 등대 조명의 지배적인 형태가 되기까지는 약 백년 정도의 시간이 소요되었다.[8)]

8) https://hydrosphere.co.uk/history-marine-aids-navigation/

2

안전디자인으로서 커뮤니케이션

●

공공디자인으로서 안전디자인

디자인에 대해 교통이나 안전과 관련된 행정적인 메시지 전달이 많아지면서 디자인의 「공공성」을 중심으로 「공적영역」을 디자인하는 공공디자인분야가 발달하고 있다. 공공디자인은 정부와 기관의 하향식 디자인 구조 또는 수직적 구조에 의한 결과로 생각할 수 있지만, 사회의 구성원의 의견이 적용되는 결과로도 볼 수 있다. 공공디자인은 상업적 가치보다는 공공성과 문화적 가치를 지니고 있으며 「안전」의 중요성을 부각하게 되었다. 안전디자인은 우리 주변의 안전을 위협하는 요인이 과거에 비해 증가되고 있기 때문에 더 강조되고 있다. 예를 들면 자동차는 우리생활에 필요한 교통수단이지만 한편으로는 위험한 요소로 볼 수 있다. 운전자는 끊임

없이 교통신호와 다른 자동차의 이동을 생각해야 한다. 자동차 교통의 안전을 위해 안전규칙이 만들어지고 그 규칙 속에는 하지 말아야 할 것과 해야 할 것에 대한 규칙이 설정되어 있다. 규칙이 많아지면서 행정적이고 법률적인 부분이 집약되어 일반인들이 점점 이해하기 힘들어지기도 한다. 공공디자인은 이러한 난해한 부분의 가독성을 높여 일반인들이 규칙을 이행하는데 기여한다. 국회안전디자인포럼(2009)에서는 대표적인 안전디자인 영역을 선정하였다. 안전디자인의 영역은 생활안전영역과 공적영역, 정책적 영역으로 분류되어있다. 경고표지, 사인물, 부표와 등대는 그중에서 생활안전디자인의 중분류 중 교통, 소분류에서 운행 분야에 포함되어있다. 선박에 사용되는 표지는 별도로 표기되어있지 않으나 교통과 관련된 경고표지의 관점에서 볼 수 있을 것이다.[9]

9) 이경돈, 최정수, Safety Design 안전디자인, 서우출판사, 2014.7

< 교통관련 안전디자인 >

① 주의 표지

도로에서 주의 표지는 41개로 이루어져 있고, 도로 상태가 위험하거나 도로 부근에 위험물이 있을 때 운전자가 이를 눈으로 인지하고 조치를 취할 수 있도록 알리는 역할을 하고 있다. 주의 표지는 빨간색 정삼각형 테두리에 노란색 바탕을 가진 표지판에 검은색으로 픽토그램을 표시하는 형식을 갖고 있다. 그림과 같이 표지판을 보는 방법에 대해 별도의 교육을 받지 않아도 그 상황을 이해하는데 큰 어려움이 없다. 예를 들면 화살표 모양으로도 진입방향을 알 수 있고 차와 자전거, 비행기의 모양으로 그 상황에서 주의가 필요함을 알 수 있다.

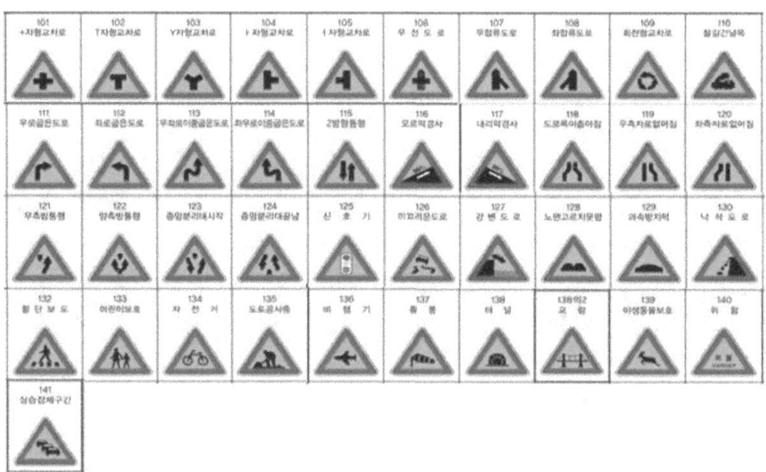

그림 6 교통안전 표지(주의표지의 색상모양과 의미)

② 규제표지

규제 표지는 27개로 이루어져 있으며, 각종 제한이나 금지 등 일정한 규제를 도로 사용자에게 이를 알리고 있다. 규제 표지판의 모양은 원형, 역삼각형, 팔각형으로 구분할 수 있는데 그중에서 역삼각형은 금지라는 내용보다는 '양보', '천천히'로 행동을 강조하는 측면이 강하다. 외형이 팔각형인 경우에는 '정지'라는 행동을 강조하고 있다. 대부분의 표지는 붉은 색 원형 테두리에 내부는 흰색이고 전달하고자 하는 내용은 검은색 픽토그램으로 표시하기도 하고 주정차 금지 관련 표지는 내부의 색상을 파란색을 사용하고, 금지표지판은 내부 배경색을 빨간색으로 사용한다. 금지와 관련된 교육을 받지 않더라도 그림에 나타난 모양이나 문자를 통해 빨간색 원형 테두리에 빨간색으로 가로지르는 선만 봐도 금지하는 행위임을 알 수 있다. 금지는 아니더라도 준수사항으로 속도, 앞뒤 거리를 표시하여 행동을 강조하기도 한다.

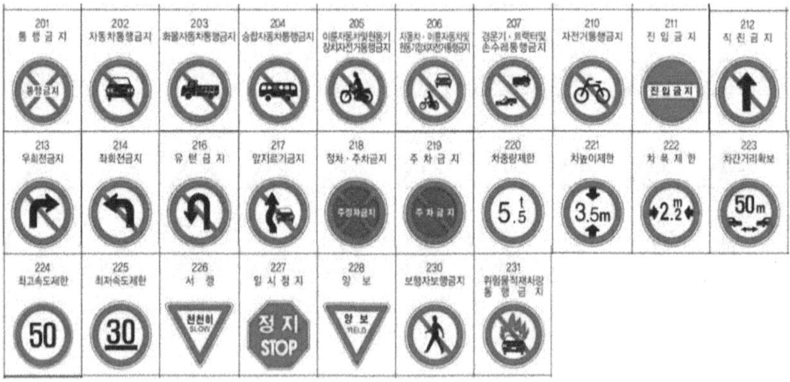

그림 7 교통안전 표지(규제표지의 색상모양과 의미)

③ 지시표지

지시 표지판은 대부분 청색과 백색만을 사용하며 외부의 테두리는 원형, 삼각형, 사각형이 존재한다. 지시 표지는 도로에서 자동차나 자전거 등의 통행방법, 통행구분 등 교통안전을 위해 필요한 자전거 전용, 횡단보도 표시, 좌회전 또는 우회전, 유턴, 비보호 좌회전 등과 같은 지시 사항에 대하여 표시하고 있다. 파란색과 흰색의 사용으로 내용의 강조효과는 규제와 주의표지보다 약하지만 필요한 정보를 제공하는 역할을 한다.

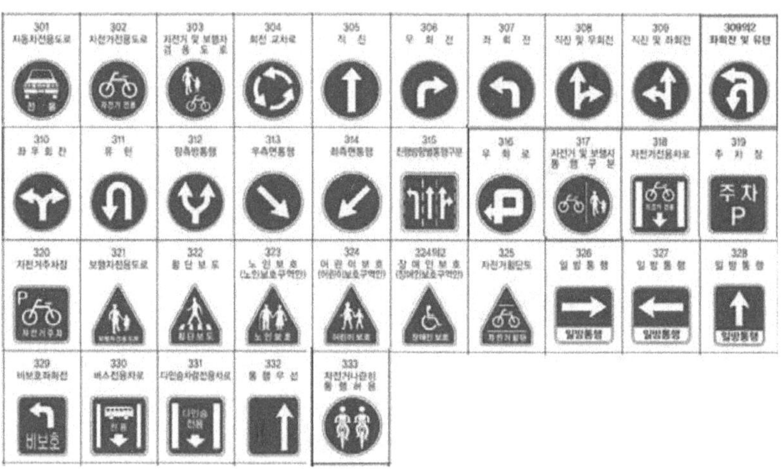

그림 8 교통안전 표지(지시표지의 색상모양과 의미)

④ 산업안전 표지 사례

산업안전관련 표지의 경우 해당 내용을 국제기구인 ISO에서 국가 간의 협의로 정하였고 이를 ISO 7010에서 픽토그램 형식을 통해 정하고 있다. 표지는 산업에서 일어날 수 있는 여러 가지 상황을 고려하여 기준으로 제시되고 있다. 규격에 수록된 표지 중에서 몇 가지 샘플로 사고유형과 상황에 따라 맞추어보면 아래와 같다. 전선화재는 절연불량에 따라 발생되는 스파크를 연상시키는 형상을 활용하였으며, 가연성물질은 인화성물질에 유의하고 화기작업에서는 발화원을 배제하는 상황을 고려하였다. 금지와 경고표지는 교통표지와 같이 노란색과 빨간색 테두리를 사용하였다.

사고유형	안전표지	KS S ISO 7010
전선화재	그림 9	* 상황 : 전선 계통에서 두 전도성 물질사이 고에너지 발생 * 절연 불량에 따른 스파크
가연성 물질 발화	그림 10	* 상황 : 화재 * 인화물질에 점화되는 화재 방지
화기작업	그림 11	* 상황 : 발화원에 의한 화재 * 화염 및 발화원 배제 필요
가스폭발	그림 12	* 상황 : 폭발물 * 폭발물 취급하거나 주변에 있을 시 유의

표1 폭발사고 예방 안전표지 사례

실제 산업현장에 설치된 산업안전표지를 보면 다음과 같이 설치되어 있다. 그림13은 배의 공간에서 화재안전을 위한 소화기의 위치와 안전에 대한 안내표지를 설치한 사례이며 상황을 이해할 수 있는 그림을 사용하고 있다. 그림14는 안전장구 착용 표지로 그림을 직관적으로 보고 이해할 수 있다.

그림 13 소화기 안내표지

그림 14 안전지시 표지

바다의 안전디자인으로서 항로표지의 커뮤니케이션

도로교통과 산업안전에서의 안전디자인은 공통적으로 빨간색과 노란색을 사용하고, 따로 전문적인 교육을 받지 않아도 이해할 수 있는 수준의 그림과 적절한 문자의 사용으로 경고와 금지, 행동에 대해 전달하고 있다. 그러나 바다에서 사용되는 부표의 경우 운항 업무에 종사하는 사람들도 숙지하는데 어려움을 겪고 있다. 해양안전심판원에서 발행한 자료에 따르면 항로표지의 가독성과 이해부족으로 사고가 발생되는 경우가 있음을 고려할 때 표지가 전하는 내용을 이해하는데 어려움이 있다는 것을 알 수 있다. 항로표지는 여러 가지 색상과 특별한 모양을 혼용하고 있어서 이해하기 위해서는 노력이 필요하다. 예를 들면 아래 그림 15~17과 같이 세로방향으로 나타난 빨간색과 흰색의 부표는 위에 구형물체가 있고[10] 어떤 경우에는 가로 방향으로 빨간색과 검은색을 사용하면서 위에 구형물체 2개가 나란히 달려있다. 어떤 경우에는 노란색만 사용하고 상부에 X표시를 한 경우도 있다.[11] 그림15는 산업안전과 도로교통에서 사용되는 표지의 빨간색과 흰색의 경고, 금지의 성질과 달리 실제 드러내는 의미는 안전한 수역을 의미하고 있다. 빨간색-흰색이 안전한 구역과 어떤 관계가 있는지 알려면 의미화 과정을 통해 찾아볼 필요가 있다. 그림16의 검은색과 빨간색을 사용한 경우 바다 속의 장애물을 표시하고 있어

10) https://www.plovput.hr/en/aids-to-navigation/marking-on-fairways/safety-water-marks
11) https://www.ybw.com/features/navigation-essential-buoys-marks-8611

색상의 사용은 도로교통과 유사하지만 나란히 붙어있는 2개의 구형모양은 그 의미를 떠올리기 어렵다. 특히 픽토그램이나 문자를 사용하지 않기 때문에 표지를 눈으로 봐도 어떤 상황인지 바로 이해할 수 없다. 결국 의미하는 것을 숙지하기 위한 교육과 훈련이 필요하며, 표지의 의미를 숙지하는 과정은 커뮤니케이션을 위한 의미화 과정으로 이해할 수 있다.

그림 15 안전수역표지

그림 16 고립장애표지

그림 17 특수표지

그러나 표지에 대한 잘못된 이해로 의미화 작용이 다르게 일어날 수 있는데[12] 해양에서의 잘못된 커뮤니케이션은 자칫 큰 인명 해양사고와도 직결 될 수 있는 문제이기 때문에 신호를 숙지하는 과정은 매우 중요하다. 커뮤니케이션을 위한 의미화 작용을 찾기 위해 표지에 대한 조형적인 특징을 면밀하게 잡고 기호학적 관점에서 분석할 필요가 있다. 시각디자인과 기호학은 조형물의 기호 그 자체와 구조를 이루는 방식, 그리고 그것이 나타내는 맥락을 이해하여 어떻게 의미가 형성되는가를 알아보는 학문으로 항로표지의 커뮤니케이션 형성 과정을 설명하는데 적합하다.

---

12) 이정임, 최인규, 백진경, 기호학의 측면에서 본 디지털미디어 기호의 유형 및 응용방법에 관한 연구, p260

2장

조형성

1

해양교통 시각물의 조형성

●

조형성, 색상과 형태

조형성은 일반적으로 형, 색, 재질, 빛, 그림자로 구분하며, 가장 기초적인 형성 단위라고 할 수 있다. 과거에는 형, 색 그리고 재질과 같은 요소에 중점을 두어 연구되었으나, 최근 조형의 물질과 혹은 매체의 기능에 따라 다양성이 고려되고 있다. 바다 위의 항로표지는 길이 보이지 않는 바다에서 방향을 안내하는 역할을 하므로 육상의 교통신호와 같은 역할을 하고 있다. 그러나 우리에게 익숙한 육상에서 교통신호와 달리 형태와 색상이 다양하다.[13]

---

13) https://m.blog.naver.com/anna88112/221977947621

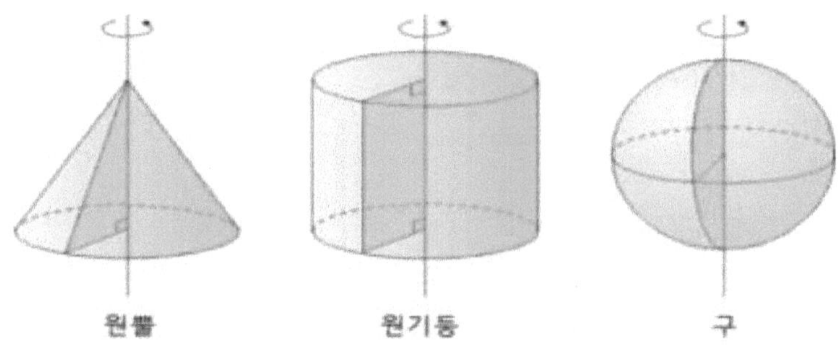

그림 19 입체도형 모양(원뿔, 원기둥, 구)

그림 20 원뿔부표

그림 21 원기둥 부표

그림 22 구형 부표

『디자인사전』에서는 조형은 점, 선, 면, 색, 빛, 공간, 시간 등의 여러 요소와 여러 가지 재질을 이용하여 촉각적이거나 시각적, 혹은 역학적으로 2차원과 3차원의 공간 안에서 자율적이며 창조적으로 형(shape)이나 형태(form)를 조직화하는 것으로 정의되어 있다.[14] 해양교통 시각물은 원기둥, 구형, 원뿔과 같이 여러 방향에서도 동일한 모양으로 보이는 입체도형을 사용하고 색상은 빨간색, 노란색, 녹색을 주로 사용

14) 조영제, 권명광, 안상수, 이순종, 『디자인사전』, 안그라픽스, 2000, p.68.

한다.[15] 이러한 특성을 고려하면 색상과 형태를 중심으로 조형성을 분석하는 것이 효과적이므로 이를 중심으로 알아보았다. 인간이 사물을 인지하고 판단할 때 시각 70%, 청각 20%, 기타 10%순으로 알려져 있다. 색상의 사용은 산업사회 초기에는 의도하지 않은 방법으로 도입되기도 하였으나 대량생산이 가능해지면서 색상의 기능이 중요해지기 시작했다.[16] 색채는 정서적인 반응을 유발하여 자극을 주고 행동을 변화시키는데 사용될 수 있다. 단색이 사용될 경우 빨간색, 녹색, 노란색이 사용되고 있으며, 두 가지 색상이 사용될 경우 빨간색-녹색, 파란색-노란색, 검은색-빨간색, 검은색-노란색, 흰색-빨간색이 사용된다. 항로표지 중 단색으로 사용되는 것은 빨간색, 녹색, 노란색으로 볼 수 있다. 이러한 색상들에서 빨간색과 녹색은 생체적으로 우리 눈이 민감하게 반응을 하는 가시광선에 해당된다. 눈의 망막에 있는 시각세포인 원추세포는 빨간색, 녹색, 파란색의 빛에 민감하게 반응하기 때문이다.[17][18]

15) http://trsketch.dothome.co.kr/a11014
16) 컬러의 기억과 마력, 반디모아, 2014
17) https://ko.wikipedia.org/wiki/원추세포
18) https://homoscience.kr/1164/

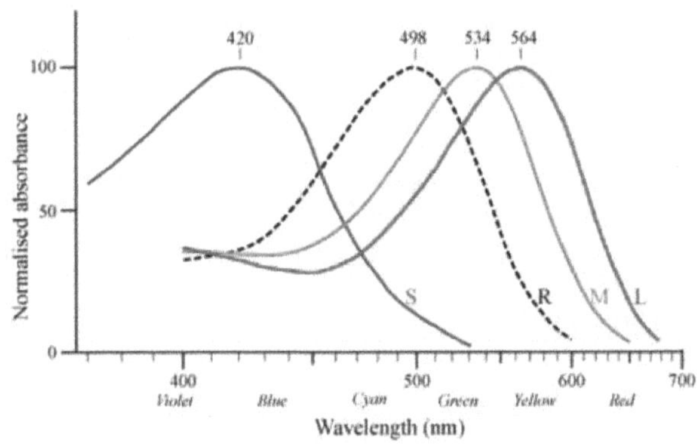

그림 23 사람이 색상별로 느끼는 민감도

그림23은 사람의 망막에 있는 3가지 종류의 원추세포와 각 세포가 파장에 따라 느끼는 민감도로 빨간색, 파란색, 녹색에 가장 크게 반응하는 것을 보여준다. 푸른색 계열인 바다의 균일한 환경에서 시각적으로 잘 나타나려면 사람의 눈이 받아들이는 민감도가 큰 색을 사용하는 것이 필요하다. 노란색은 빨간색 다음으로 파장이 긴 색상으로 대기에서 투과되는 성질이 강하므로 대기의 영향을 상대적으로 덜 받는 색상으로 볼 수 있다. 따라서 단색으로 사용되는 부표의 색상은 사람이 느끼는 시각적 민감도가 반영된 것으로 볼 수 있다. 마지막으로 검은색의 경우 색상이 너무 어두워서 빛의 99.965%정도를 흡수하는 것으로 알려져 있다. 예술가들은 이러한 원리로 명암법을 개발하여 어두운 무대를 비추는 스포트라이트와 같은 방법으로 검은색을 활용하였다.[19] 빛을

[19] 로라페리먼, 컬러의 일, 윌북, 2022

흡수하는 성질로 인해 햇볕이 있는 주간에는 기본적으로 빛을 반사하여 색상을 형성하는 여러 가지 배경과 함께 검은색 물체가 놓여 있다면 이를 눈으로 인지하는 것이 용이할 것이다.[20]

20) https://daesan.mof.go.kr/ko/page.do?menuIdx=3135

2

색 상

검은색

최초로 사용된 검은색 안료는 나무를 불에 태워서 사용하는 것으로 오늘날에도 사용되고 있다. 오래 전 조상들이 동굴 벽에 그림을 그릴 때 나무를 불에 태워서 만든 목탄을 사용하였다. 그만큼 검은색의 사용은 인류의 역사와 함께 해온 것이다. 배에서 사용하는 형상물은 선박이 항해하는데 중요한 것을 전달하는 기하학적인 모양을 가진 물건인데 특이한 것은 그 색상이 모두 검은색이라는 점이다. 이것은 낮에만 사용하는데 바다, 하늘 그리고 배의 구조물 등과 같은 주변 색상에 아무런 영향을 받지 않고 검은색 고유의 색상을 드러낸다. 실제 게양된 모습을 보면 맑은 하늘과 바다를 배경으로 검은색 모양의 대비가 잘 나타난다.[21)][22)]

21) https://www.boatsnews.com/story/28786/is-the-mooring-ball-mandatory

22) http://www.saltylass.co.uk/collision-regulations
https://boatsafe.wordpress.com/2010/05/10/how-to-maneuver-around-a-dredge/

그림과 같이 상부에 깃발을 게양하듯이 올려서 배의 상태를 주변에 알리고 있다. 위험한 작업을 하고 있거나, 이동하는데 어려움이 있는 상황임을 주변에 알려서 다른 배들의 이동에 필요한 정보를 제공 하는 것이다.

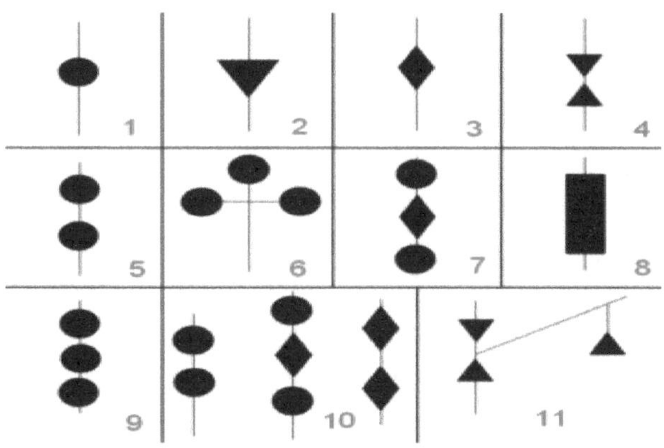

그림 24 규칙에서 배의 상태에 따른 형상물의 배치방법

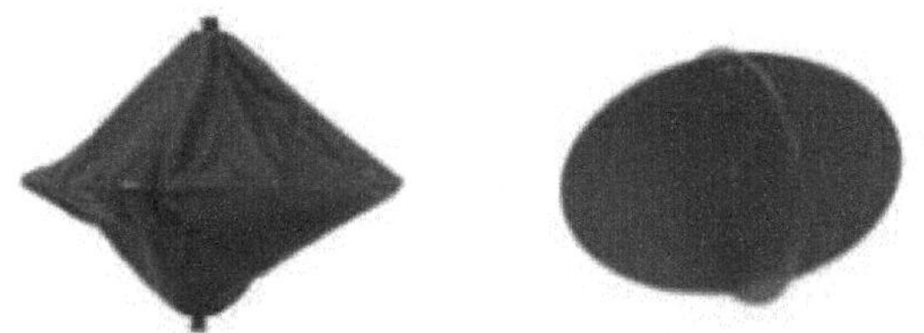

그림 25 마름모와 흑구의 실제 형상

그림 26, 27 흑색구 사용

그림 28 작업선의 구형-마름모-구형

빨간색

수천 년 전 동굴에 벽화를 그릴 때부터 검은색, 흰색과 사용된 것은 빨간색이었다. 빨간색은 다른 색들에 비해 강하고 적극적인 느낌으로 많은 관심을 일으킨다. 역사적으로 다양한 상징적 의미를 가지기도 했는데 유럽의 중세시대 이전에는 예수의 피를 상징하여 신성한 지위를 의미하였고, 이후에는 왕족을 상징하기도 하였다.[23] 빨간색 입표와 등표, 등부표 표지에 대한 해석에 따르면「표지의 위치가 항로의 우측 한계에 있고 좌측에 가항수역이 있다」는 점을 알리고 있다. 즉 표지는 항구로 들어가는 방향의 오른쪽에 있는 것이다. 부표의 모양과 색상을 안내하는 자료를 보면 전체 색상을 빨간색으로 사용한 것이 특징이다. 부표가 바다위에서 빨간색을 사용한 것은 전달하고자 하는 어떤 의미가 내포되어 있다고 볼 수 있다. 빨간색 모양과 색깔은 가야 하는 방향이나 현재의 위치에서 요구되는 행동이 무엇인지 알려주는 것이다. 모양은 바다에 떠있는 부표와 바다 밑 바닥에 기둥으로 고정되어 있는 등표, 입표가 있는데 이중에서도 불빛이 있는 표지는 등부표, 불빛을 사용하지 않는 것은 입표로 사용된다.[24] 또한, 배 전체를 빨간색으로 도색한 것으로 등선을 사용한다. 등선은 등부표와 입표의 빨간색이 전달하는 방향에 대한 의미와 달리 수심 깊은 곳에서 육지가 근처에 있음을 알리는 등대의 역할을 한다.

---

23) 로라페리먼, 컬러의 일, 윌북, 2022

24) https://daesan.mof.go.kr/ko/page.do?menuIdx=3135

입표	등표	부표
등부표	등선	

표 2 빨간색이 사용된 표지 그래픽 이미지의 사례

그림29, 30에 실제 나타난 등선의 모양을 보면 표2의 그래픽 이미지와 다른 부분이 존재한다. 그림29는[25] 'West-Hinder II' 라는 등선으로 벨기에 오스텐드(Ostend)에서 운용되었다. 색상과 형태를 보면 배의 아랫부분에 빨간색이 적용된 것은 맞지만 배에 설치된 전체 타워의 구조와 모양에서 조종실의 색깔은 흰색으로 그림30의 등선이 모두 빨간색인 것과 대비된다. 이 등선은 'LV-11'이라는 이름으로 현재 네덜란드 로테르담에 정박되어 있고 1951년도에 만들어져서 수명을 다하고 현재 레스토랑으로 사용되고 있다. 표지의 모양이 반드시 일률적인 모양과 색상을 사용하는 것보다는 그것을 사용하는 지역의 특색이나 관행이 어느 정도 드러나고 있는 것이다.

그림 29 등선의 색상과 형태(상부 흰색)

그림 30 전체 빨간색 등선

25) https://www.wikiwand.com/en/Lightvessel

빨간색이 사용된 등부표의 모양을 보면 그림31은 MNAV solution에서 제작한 폴리우레탄 엘라스토머 부이로 선박의 충격에도 파손되지 않도록 재질과 구조를 만들었다.[26] 구조물의 모양은 기둥이 표2의 그래픽이미지와 다르게 다수의 가로줄이 적용된 스크린타입으로 다소 모던한 미적 감각이 반영되었다. 그림32는 우리나라 부표로 기둥과 하부 구조의 모양이 표2의 이미지와 거의 유사하며 철제 빔을 공간의 중심으로 활용하였다.[27] 그림33은 미국 샌디에고 항에 설치된 부이로[28] 색상이 빨간색인 것은 공통적이나 상부구조에 원뿔모양이 없고 입체적인 사각형모양이 사용된 것이 우리나라와 다르다. 이처럼 기본적으로 물위에 부유하기 위한 받침대와 상부 모양은 의미전달을 위한 빨간색을 사용하였지만, 세부적인 모양과 형태는 나라와 제작하는 회사에 따라 조금씩 다르게 나타나는 것을 알 수 있다.

그림 31 필리핀 등부표

그림 32 한국 등부표

그림 33 미국 등부표

그림 34 미국 부표

그림 35 한국 부표

---

26) M-NAV-Solutions-Buoy-Catalogue-rev1.1
27) http://www.woorimarine.com/area/sub1.asp
28) https://wavveboating.com/blog/buoys-beacons-and-lights/

그림34는 미국 바다의 부표로 상부분에 원뿔 모양은 없이 몇 개의 오목한 삼각형 구조를 세운 것을 사용하기도 하였다[29]. 반면 그림35의 우리나라 부표는 기하학적인 원뿔모양이 나타나도록 제작 되었다.[30] 이러한 의미들은 바다에서의 교통과 관련된 것으로 공공의 안전을 위한 공공디자인의 관점에서도 볼 수 있을 것이다. 일반적인 공공디자인에서 볼 수 있는 빨간색이 단색으로 사용된 경우 그림과 같이 화재안전을 위한 소화전과 같은 시설, 위험표시, 교통신호, 빨간색 우체통을 들 수 있다. 화재안전은 빨간색에서 불을 연상할 수 있기에 훨씬 의미가 색상과 연관되어 있고 도로에서의 교통신호등이 빨간색인 경우 정지를 의미하는 것으로 교통안전 교육을 통해 알려진다. 우체통이 빨간색인 것은 확실히 단정할 수는 없지만 우리나라는 일제강점기에 빨간색 우체통이 도입되면서 오랜 동안 빨간색 우체통을 사용하였는데 신속성이나 긴급성으로 급한 내용을 빨리 전달한다는 의미를 담고 있다고 한다.[31] 이와 같이 공공디자인에서는 빨간색을 위험이나 금지, 화재안전 또는 긴급함과 관련된 영역에서 사용되고 있다.

그림 36 공공디자인에서 사용된 빨간색(소화전, 우체통)

29) https://en.wikipedia.org/wiki/Buoy
30) http://www.woorimarine.com/area/sub1.asp
31) https://ywmelon.tistory.com/31

녹색

녹색은 안료가 나오기 전까지는 오랜 기간이 소요되었고 그전에는 파란색과 노란색 안료를 섞어서 녹색을 만들었다. 1775년 화학자 칼 빌헬름 셸레(Carl Wilhelm Scheele)가 셸레그린을 만들었지만 비소를 함유한 독성으로 문제가 되기도 하였다. 이처럼 안정적인 초록색을 만드는 것은 어려운 일이었다. 과학의 발전으로 오늘날에는 식물에서 천연안료를 찾을 수 있게 되었다. 녹색은 20세기 중반이후 환경운동과 함께 인지도가 높아져 지속가능한 환경정책과 연관 지으려는 곳은 대부분 녹색을 이용하려고 한다.[32] 항로표지에서 녹색의 사용은 「표지의 위치가 항로의 좌측 한계에 있고 우측에 가항수역이 있다」는 것을 알리고 있고 항구로 들어가는 방향에서 왼쪽에 있다는 것을 의미한다. 그림37의 녹색부표를 보면 원기둥 모양에 녹색을 사용하였고 부착된 구조물이 조금씩 다르지만 전체적으로 원기둥 형태를 갖추고 있다. 아래의 그림은 미국[33]과 우리나라[34]의 녹색부표의 사례로 손잡이 부분이 모양이 다른 것을 확인할 수 있다. 호주와 필리핀에서 제작되는 녹색 등부표의 사례를 보면 기둥에 일정한 구멍이 있는 형태의 등부표도 있고[35] 그래픽 표지의 모양과

32) 로라페리먼, 컬러의 일, 윌북, 2022

33) https://www.nps.gov/voya/planyourvisit/lake-navigation-buoy-and-marker-reference-guide.htm

34) http://www.newmarine.co.kr/?param=move¶m1=user¶m=product_02

거의 동일한 형태도 있다.[36] 이처럼 녹색 부표와 등부표의 색깔은 모두 같은 녹색을 사용하더라도 형태는 지역과 문화에 따라 다른 면이 있는 것이다.

그림 37 녹색 부표의 적용사례

그림 38 녹색 등부표의 사례

35) M-NAV-Solutions-Buoy-Catalogue-rev1.1
36) http://www.woorimarine.com/area/sub1.asp

공공디자인의 관점에서 녹색은 안전, 건강, 자연친화적인 이미지를 연결시키는 것에 활용되고 있다. 그 예로 그림39[37]와 같이 비상탈출 및 응급처치 표지판은 안전한 대피 경로 또는 응급처치 시설을 나타내는 정보를 표시하는 데 사용된다. 또한, 안내표지에서 건강 및 안전에 대한 것은 녹색을 주로 사용한다. 교통신호등에서의 녹색등은 교차로에서 안전한 통과를 의미한다. 그 외에도 그림39의 친환경과 저탄소, 재활용과 관련된 분야에서 의미를 전달하기 위해 녹색 계열의 색을 오른쪽의 사례들처럼 사용하기도 한다.

그림 39 공공디자인과 마크에서 사용된 녹색

37) https://www.hse-network.com/what-colours-do-health-and-safety-signs-have-to-be/

노란색

20세기 전까지만 해도 안정적인 노란색 안료는 없었다. 노란색을 만들기 위해 납, 비소, 나무수액까지 활용하였으나 햇빛에 오래 노출되면 갈색으로 변하는 문제가 있었다. 그러나 19세기말 합성안료가 개발되면서 이러한 고충이 사라졌다. 노란색은 생동감과 이목을 끄는 특징이 있다. 연구결과에 따르면 노란색은 주위를 환기시키고 의사소통 능력향상에 도움을 주는 것으로 알려져 있어 사람의 학습능력에 영향을 미친다.[38] 항로표지의 경우 노란색만 사용된 표지는 특수표지라 하며 상부에 X표시가 있다. 나머지는 기존의 부표와 동일한 형태를 하고 있다. 그림40의 왼쪽 부표는 인천항 근처에 설치된 것으로 기둥부분에 문자 또는 번호를 붙일 수 있으며, 픽토그램을 사용하여 그 목적을 나타낼 수 있도록 하고 있다.[39] 오른쪽 부표는 노란색 특수표지는 맞지만 외형이 유선형으로 마치 종과 같은 모양을 연상시킨다.[40]

38) 로라페리먼, 컬러의 일, 윌북, 2022
39) https://incheonport.tistory.com/4399
40) M-NAV-Solutions-Buoy-Catalogue-rev1.1

그림 40 특수표지(하부 그릴형)

그림 41 특수표지(하부 종 모양)

공공디자인에서 노란색은 어린이 보호구역에서 주로 사용되고 있다. 그림42의 디자인 휀스는 경기도 이천에서 사용된 것을 인용하였다. 글씨를 제외한 전체색상은 노란색을 활용하였고 운전자가 어린이보호구역임을 쉽게 인지할 수 있도록 만들었다. 노란색 배경을 사용하고 주의해야 할 사항을 전달하기 위해 간단한 이미지를 포함하고 있다.

그림 42 노란색 펜스공공디자인

그림 43 횡단보도 공공디자인

그림43은 도로에서 인도와 벽을 노란색으로 칠해 보행자 대기공간을 마련하고 "살피고 건너요! 안전하게 양팔을 벌리고 건너요!" 등의 문구와 발모양, 눈모양 등의 이미지를 넣어 시

각적 효과를 주었고, 차도에서 떨어져 보행 신호를 기다리게끔 유도하였다. 이처럼 공공디자인의 노란색은 항로표지에서 사용된 노란색과 달리 특정한 의미 전달이 아닌 주의를 환기시키는 방식으로 사용되고 있다.

2가지 색상의 사용

항로표지는 2가지 색상을 동시에 사용하는 경우가 있다. 항로표지 중 두가지 색 이상의 색상이 사용되는 것은 빨강-녹색, 파랑-노랑, 검정-빨강, 검정-노랑, 흰색-빨강으로 볼 수 있다. 이들 색상은 대체적으로 보색관계가 사용되고 있다. 보색은, 두 가지 색상을 섞었을 때 흰색이나 검정이 되는 색상을 이야기한다. 그림44의 오스발트 색상환[41]을 보면 서로 직각을 이루면서 마주보는 색상이 보색이다.

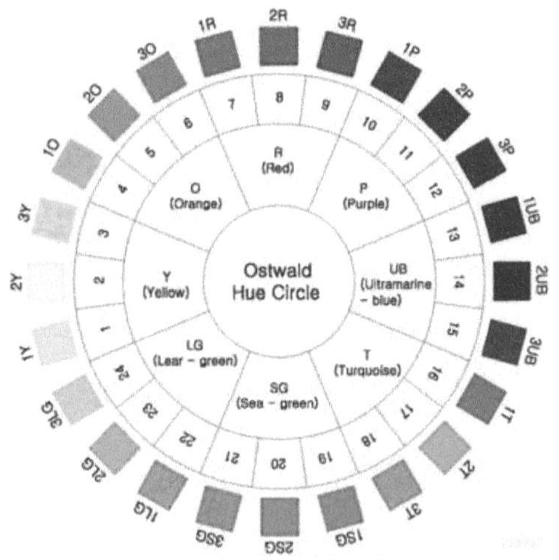

그림 44 오스발트 색상환

41) 그림출처 : wikipedia.org/wiki/오스트발트_색_체계

명시성(배경과의 관계에서 잘 보이는 색상)은 색자극의 반응효과에서 색채지각의 사물과 배경과의 관계에 의해 나타나는 현상이다. 예를 들면 검정–빨강, 검정–노랑의 색상을 통해서도 알 수 있듯이 검정 바탕에서의 명시성과 시인성이 높은 빨간색과 노란색이 사용될 수 있음을 알 수 있다.

< 빨간색-녹색 >

그림45에서 녹색과 빨간색은 서로 보색 관계로 색상대비가 크게 일어나는 색상이다. 아래의 표지는 공통적으로 빨간색과 녹색을 사용하였지만, 사용된 부위가 다르다. 표3의 경우 중간 부분에 녹색, 상하부에는 빨간색이 적용되었다. 규정에서 「표지의 좌측에 우선항로가 있다」는 것을 의미하고 있는데 이것은 운항 중 갈림길이 나올 때 갈리는 지점 앞에서 우선 왼쪽으로 가도록 안내하는 것을 의미하며 그림45에서 배치된 위치를 통해 방향을 이해할 수 있다.[42] 이와 반대로 표 4의 그림은 「표지의 위치가 항로의 좌측 한계에 있고 우측에 가항수역이 있다」는 점을 알리고 있다. 이것은 갈림길이 나올 때 우선 오른쪽으로 가도록 안내하는 것이다. 표3의 그림에서 나타난 색상위치와 반대로 중간 부분이 빨간색이고 위아래가 녹색으로 되어 의미를 표시하고 있다.[43] 용어를 살펴보면 입표는 암초 위에 세우는 항로표지로 물에 숨어 보이지 않는 암초가 있다는 것을 알려준다.

42) https://boating-articles.com/2022/08/04/the-ultimate-guide-to-buoys-and-flags/
43) http://shipinspection.eu/lateral-marks-region-b/

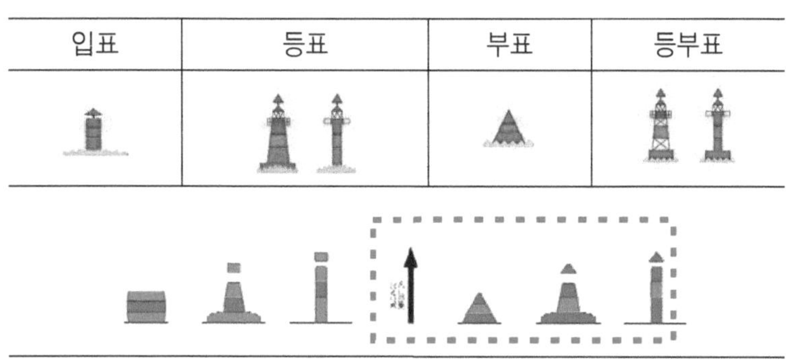

입표	등표	부표	등부표

표 3 좌측항로 우선 표지

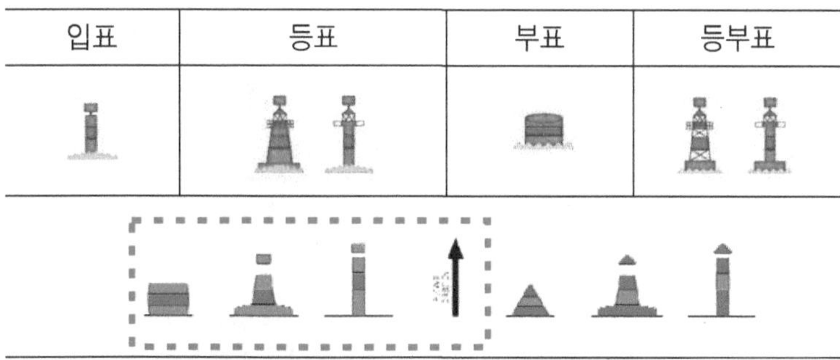

입표	등표	부표	등부표

표 4 우측항로 우선 표지

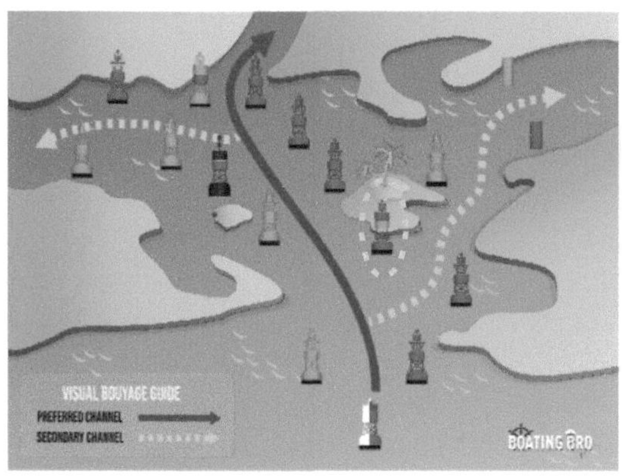

그림 45 좌측과 우측 이동시 표지의 모습

등표는 장애물을 배에 알리기 위해서 암초나 수심이 얕은 곳에 세워서 빛을 발생시키는 장비를 설치한 구조물을 의미한다. 부표는 항만이나 하천 등 선박이 항행하는 위치 수면에 띄워 항로 안내, 암초의 위치 등을 알리는 표지판으로 빛을 발생시키는 장비가 없으면 부표, 있으면 등부표에 해당된다. 그림46, 47은 미국 해안에서 운용중인 것으로 가운데 녹색, 상하부 빨간색인 등부표와 부표로 실제모양은 아래와 같다.[44][45]

그림 46 등부표(빨간색-녹색)

그림 47 부표(빨간색-녹색)

44) https://www.sailingissues.com/navcourse9.html

45) https://www.canoe-kayaks.com/tips-and-advice/what-do-buoys-mean/

< 빨간색-흰색 >

빨간색 바탕에 흰색이 사용된 것은 어떤 경우에서도 선명하게 보이기 때문이며, 빨간색은 색깔이 대기 입자에 의해 흩어지지 않아 잘 보이고, 산란이 적기 때문에 먼 곳에 서도 확인할 수 있다. 흰색은 20세기 초까지 구하기 어려운 안료였다. 바다에서 빨간색과 흰색을 사용한 표지는 빛의 반사도가 높은 흰색으로 인해, 매우 눈에 잘 띄게 된다. 또한, 부표를 보면 수평선에 수직이 되도록 세로방향으로 빨간색과 흰색을 번갈아 사용한 것이 특징이다. 상부분에 빨간색 구형 모양을 포함해서 어떤 의미를 전달하기 위해 눈에 잘 띄도록 구성한 것으로 규정상 의미는 '안전수역' 즉, 모든 주변에 항해가 가능한 바다를 뜻한다. 그러나 빨간색과 흰색에서 안전구역이라는 인과관계를 찾는 것은 어렵다. 모양은 약간씩 다르지만 빨간색과 흰색을 사용한 안전수역 부이들이 있다.

그림 48 실제 적용된 흰색-빨간색 사례(등부표, 부표)

그림48의 부표는 캐나다 연안, 미국연안에서 사용되는 부표[46]와 우리나라와 중국지역 등에서 사용된 부표로 기둥모양, 공모양으로 다른 형태를 갖추고 있다.[47] 기둥과 받침대 부분이 연속적으로 연결되거나 넓은 하부 받침대 모양을 갖춘 것, 구형으로 부유하는 모양도 있다.[48][49][50][51]

흰색과 빨간색이 공공디자인에서 사용된 사례는 화재 안전 표지판을 들 수 있다. 빨간색이 지닌 화재의 의미를 바탕색으로 하고 사다리와 불을 흰색으로 사용하여 시각적인 효과를 높인 것이다. 콘 타입의 차량안내 시설물도 있다. 차량의 진입을 금지하는 시각적 효과를 사용하였다.

그림 49 공공디자인에서 사용된 빨간색-흰색

위와 같은 픽토그램과 표지판은 특정 행위나 사건의 금지를 나타내는데 사용된다. 금지 표지판은 근로자에게 작업장에서 하지 말아야 하는 행위를 표시하며 일반적으로 빨간색 십자 원

46) https://www.sailingissues.com/navcourse9.html
47) http://www.honamtimes.com/news/articleView.html?idxno=132811
48) http://www.hiseamarine.com/1800mm-frp-navigational-buoy-5067.html
49) https://www.marinebuoy.com/navigation-buoys/safe-water-mark-buoys/
50) https://www.plovput.hr/en/aids-to-navigation/marking-on-fairways/safety-water-marks
51) https://lakehub.com/boating/what-do-buoy-colors-mean/

안에 검은색 안전 기호가 있다. 공공시설물의 관점에서 빨간색-흰색이 사용된 또 다른 사례는 그림50과 같이 공항에서 볼 수 있는 시설물로 급수탑, 라디오 타워, 건물 지붕에 빨간색과 흰색을 바둑판 모양으로 만든 것이다.

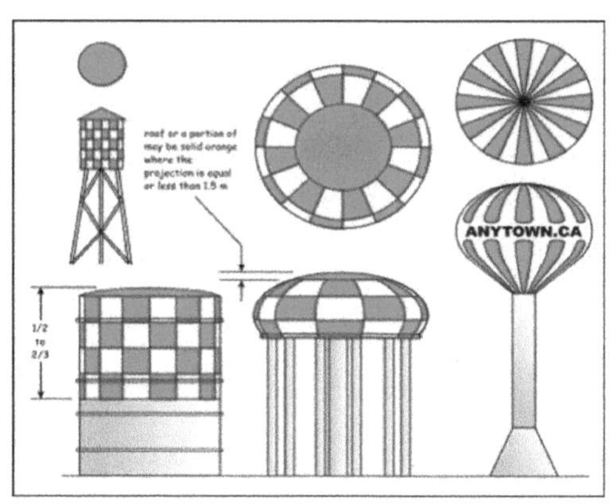

그림 50 공항시설물에서 사용된 빨간색-흰색

국제민항공기구(ICAO, International Civil Aviation Organizations)는 공항의 모든 장애물, 기본적으로 물탱크 타워 및 저장 탱크와 같이 위치하는 구조물 및 물체에 대한 모든 장애물에 빨간색과 흰색의 체크 마킹을 의무적으로 적용하도록 하고 있다. 흰색과 빨간색을 채택한 것은 조종사에게 명확한 가시성을 제공하려고 한 것으로 볼 수 있다. 하늘에서 내려다볼 때 단색 대비가 작동하지 않거나 지역 풍경과 조명 조건으로 인해 사물이 선명하게 보이지 않을 경우에 체크무늬의 흰색과 빨간색은 인간의 눈으로 쉽게 식별할 수 있고 악천후에서도 확인이 되기 때문이다.

< 노란색-파란색 >

색채이론을 창시한 사람은 아리스토텔레스로 색을 자연의 4대원소인 불, 흙, 공기, 물과 관련이 있다고 생각하였다. 그는 파랑은 우리가 어둠을 들여다 볼 때 가장 먼저보이는 색이고 노랑은 빛을 쳐다볼 때 가장 먼저 보이는 색깔이라고 하였다. 20세기 중반 프랑스 예술가 클랭은 파란색에는 마음을 움직이는 효과가 있다고 믿었다. 연구에 의하면 파란색은 마음을 안정시키고 정신건강에 도움이 된다고 알려져 있다. 이런 이유로 실내 디자인에 많이 사용되고 있으며 이후에도 파란색에는 순수함과 강렬함이 담긴 의미로 사용되고 있다. 항로표지에서 「새로운 위험」이라는 용어는 새로운 것을 묘사하기 위해 사용된다. 아직 항해 중에 나타나지 않은 위험을 발견해서 난파선과 같은 갑작스런 위험이나 바위들에 대해 '새로운 위험'이라고 표시한다. 새로운 위험이 없어지거나 여러 가지 방법으로 해결되었을 때 표지를 제거하기도 한다. 표기방법은 표5의 그래픽 이미지와 같다. 이미지를 보면 세로방향으로 노란색과 파란색을 번갈아 사용하였고 상부분에는 노란색 십자가 모양이 있다. 그러나 그림51의 실제 부표를 보면 기둥부분에 글자를 사용하기도 하고 하부 받침대를 딛고 설 수 있도록 원형 손잡이가 사용되기도 한다.

표 5 파란색-노란색이 사용된 등부표

왼쪽의 부표는 영국에서 사용되는 부이로 기둥에 'WRECK'이라는 단어를 사용하였다. 'WRECK'은 침몰된 선박을 의미하는 것으로 해당 위치에 위험물이 있다는 것을 문자로 표기한 것이다.[52] 두 번째 부표는 중국에서 제작된 것으로 넓은 하부 받침대가 있고 상부분에 원형 손잡이가 있어서 발을 딛고 손잡이를 잡을 수 있도록 만든 것이 특징이다[53] 세 번째는 호주와 필리핀에서 제작된 것으로 기둥부분이 가늘게 제작되고 가운데 사각형 모양을 붙인 것으로 십자가 밑에는 레이더파 반사기 모양이 있고 넓은 하부 공간이 있다.[54]

그림 51 노란색과 파란색이 사용된 부표사례

52) https://www.trinityhouse.co.uk/commercial-services/our-services/buoy-services/buoy-rental/emergency-wreck-buoys
53) http://www.hiseamarine.com/emergency-wreck-marking-buoy-5035.htmlk
54) M-NAV-Solutions-Buoy-Catalogue-rev1.1

공공디자인에서 파란색과 노란색을 동시에 사용하는 경우는 픽토그램에서 화학보호의 착용, 엘리베이터에서 위치표시에 사용된 색상을 찾아보았다. 그 외에도 여러 가지 디자인이 있겠지만 주로 주위 환기를 위한 색상을 선정한 것으로 볼 수 있을 것이다.

그림 52 파란색-노란색 사례 (픽토그램)

그림 53 파란색-노란색 공공시설 (에스컬레이터)

< 검은색-노란색 >

검정의 배경에서 주목성이 높은 색 즉 시인성이 높은 색의 순서는 노랑, 주황, 빨강, 녹색, 파랑, 보라의 순으로 검은색 배경에 노란색이 사용될 경우 가장 높은 시인성 즉, 명시성을 나타낸다고 볼 수 있다. 검은색과 노란색이 사용된 표지는 방위를 나타내는 측방표지로 수로의 장애물 또는 암초구역을 설정하고 이것을 중심으로 동서남북으로 표시하고 이동할 수 있는 방향을 안내한 것이다. 상세한 내용은 제4장의 기호학 분석을 참고할 수 있으며 본 장에서는 색상과 모양에 대한 분석을 하였다. 표6의 그래픽이미지를 보면 표지의 상부분은 동일하게 검은색을 유지하고 있으나 그 모양과 형태가 다르다. 표지는 그 종류가 입표, 등표, 부표, 등부표가 있는데 표현방법 중에서 서쪽에 해당되는 것을 표6에 모두 나열해 보았다. 서쪽은 삼각형이 꼭지점으로 마주보고 있는 형상이다 반대로 동쪽은 삼각형이 밑면으로 마주한다. 상세한 표현방식 설명은 기호학 분석에서 기술하였다.

입표(W)	등표(W)	부표(W)	등부표(W)

표 6 검은색과 노란색 표지가 사용되는 경우

그림54는 실제 사용 중인 부표의 형태를 정리해 보았다. 상단의 그림 왼쪽은 영국해안에 설치된 부표로 그래픽 이미지와 유사하지만 구조물의 모양은 기둥과 받침대 부분에서 차이가 있다.[55] 오른쪽 그림은 중국에서 생산된 것으로 철판에 색상을 넣고 하부 공간을 사용할 수 있도록 기둥이 하부에서 차지하는 면적을 줄이고 발을 디딜 수 있는 공간을 만든 것이 특징이다.[56] 색상은 표6이 정한 의미를 준수할 수 있도록 노란색과 검은색을 활용하였지만 기둥에 메쉬(Mesh) 타입을[57] 사용하거나 철판과 구조물을 사용하면서 태양전지와 전자장치를 부착하는 등 다른 용도에서도 사용이 가능하도록 만들어진 형태들이 있다. 기둥부분에 검은색 십자가를 사용하여 독특한 모양을 지닌 것도 있는데[58] 각 모양은 다르더라도 색상의 위치와 상부 삼각형은 동일하므로 전달하고자 하는 의미는 동일하다.

---

55) https://dorsetmarinetraining.co.uk/2021/02/21/buoyage-navigation-marks-and-buoys/
56) http://www.hiseamarine.com/west-cardinal-mark-5030.html
57) M-NAV-Solutions-Buoy-Catalogue-rev1.1
58) TRIDENT-3000, 3000mm dia. Ocean Buoy catalog

그림 54 검은색과 노란색이 사용된 항로표지

검은색과 노란색을 공공디자인, 안전디자인의 관점에서 보면 주의를 환기하기 위한 의미를 표현한다. 예를 들면 그림 55와 같이 방사능 폐기물이나 안전표지를 보면 노란색 배경에 검은색 픽토그램이나 문자를 활용하여 주의를 환기하고 있다.[59] 해양에서의 표지가 주의를 환기하기 위한 노란색과 검은색을 사용한 것은 공공디자인에서 사용된 검은색과 노란색이 사용된 목적과 비슷하지만 색상의 위치변경과 같은 기호체계를 통해 의미를 전달하는 것은 픽토그램이나 문자를 사용하는 공공디자인과는 다른 특징이다.

59) https://www.hse-network.com/what-colours-do-health-and-safety-signs-have-to-be/

그림 55 작업장 안전표지(왼쪽)과 방사성 폐기물 안전표지

< 검은색-빨간색 >

명시성은 주변의 색에 따라 더 잘 보이는 정도를 말하며 보색의 경우 명시성이 더 높아진다. 이는 사물과 배경과의 관계에 의해 나타나는 현상으로 볼 수 있다. 이 것은 검정-빨강의 색상을 통해서도 알 수 있다. 특히 검은색과 빨간색의 명시성이 높은 이유는 빨간색은 색깔이 대기 입자에 의해 흩어지지 않아 산란이 적기 때문에 먼 곳에서도 확인할 수 있기 때문이다.

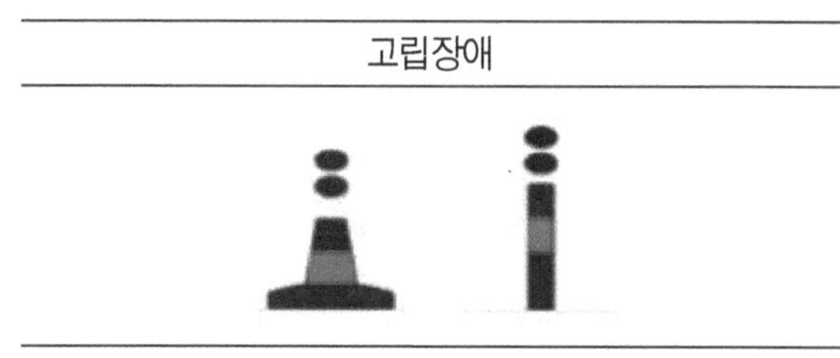

표 7 검은색과 빨간색이 사용된 고립장애 표지

위 표지는 표지의 위치나 주위에 암초나 고립장애물이 있음을 알리고 있다. 주변에 배가 다닐 수 있는 지역 근처에 위험이 있다는 의미를 전달하고 있다.[60] 색상은 검은색이며 수평 빨간색 띠가 있고 빨간색 띠는 상황에 따라 하나 이상의 빨간색 띠 사용하기도 한다. 또한, 상부에는 검은색의 구형모양 2개가 있는데 실제모양을 보면 그림57과 같다. 그림 왼쪽에서 등표로 사용된 것을 보면 빨간색 띠가 2개 사용되고 하

60) https://www.trinityhouse.co.uk/mariners-information/navigation-buoys/isolated-danger-marks

단의 지면이 드러나 보인다. 오른쪽 그림의 부표는 구조물을 빨간색으로 하고 상하부는 검은색을 적용하였다. 빨간색 띠는 아니지만 표7의 그래픽 이미지에서 지칭하는 부표와 색상의 위치는 비슷하다. 다만 빨간색 부분에는 태양 전지판 같은 부가물이 사용되어 빨간색 띠 부분 여백을 활용한 것이 특징이다. 그림57의 왼쪽에 해당되는 부표는[61] 크로아티아 해안에 설치된 부이로 「고립된 위험 표시」를 나타내고 있으며 상부의 검은색 원형 2개와 기둥색상이 이러한 의미 나타낸다고 한다. 암초나 수중의 장애물을 표시하는 것으로 검은색과 빨간색이 눈에 잘 나타난다. 오른쪽 그림은 영국 크로마티퍼스(Cromarty Firth)에 설치된 부이이다. 부이가 설치된 곳은 제1차 세계대전 중 전함의 침몰사고가 있었고 이를 추모하기 위해 침몰 위치에 표시한 부표이다.[62]

그림 57 실제 적용된 파란색-노란색 사례(등부표, 부표)

61) https://www.sailingissues.com/navcourse9.html
62) https://www.bbc.com/news/uk-scotland-highlands-islands-34388839

검은색과 빨간색이 활용된 공공디자인은 대표적인 사례로 안전표지 픽토그램과 화재안전관련 디자인을 찾을 수 있다. 픽토그램에서 검은색은 행위를 나타내고 빨간색 선과 테두리는 금지하는 것을 나타낸다. 그 예로 아래의 표를 보면 손의 모양이 있고 빨간색 원형과 가로지르는 직선모양이 있는데 그 형태를 보면 그 행위를 금지하는 것을 쉽게 연상할 수 있다. 이것은 국제표준에서 정한 표지로 산업현장에서의 안전표지에 사용되고 있다. 따라서 항로표지와 공공디자인에 사용된 빨간색과 검은색을 판단해 보면 공통적으로 '주의'와 '금지'를 연상할 수 있다.

안전표지	KS S ISO 7010
	* 상황 : 위험한 표면 * 만지지말 것
	* 상황 : 손 다침 * 지정된 곳에 접촉 금지

표 8 KS S ISO 7010 그래픽 심볼

3

형 태

앞서 색상에서 확인하였던 바와 같이 배에 사용되는 형상물과 항로표지에는 공통적으로 사용되는 모양들이 있다. 그림59는 배에 사용되는 형상물로 기본적으로 평면으로 보았을 때 모양은 삼각형(실제모양은 원뿔)이고 원형, 사각형과 마름모 형태가 있다. 하단의 그림과 같이 마름모를 제외하면 배의 형상물이 항로표지와 기하학적으로 유사한 면이 있다. 물론 항로표지의 모양이 배의 형상물에 없는 모양이 더 많다. 그림58과 같이 십자가, X자형, 배 모양, 전망대 모양이 대표적이다. 공통적으로 사용되는 모양을 중심으로 알아보고 그 외의 모양은 별도로 정리하여 알아보겠다.

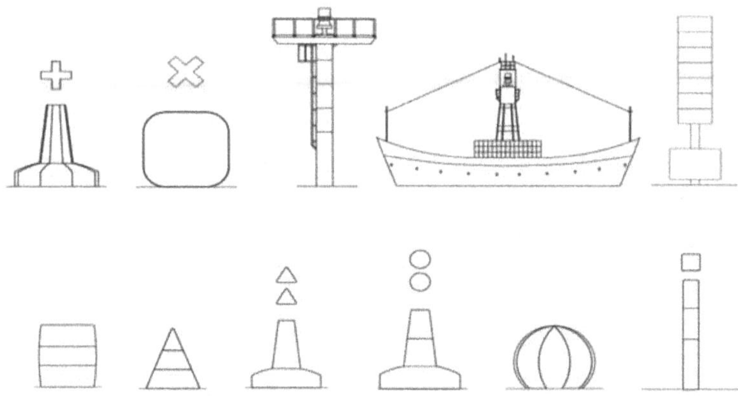

그림 58 항로표지에 사용된 모양들

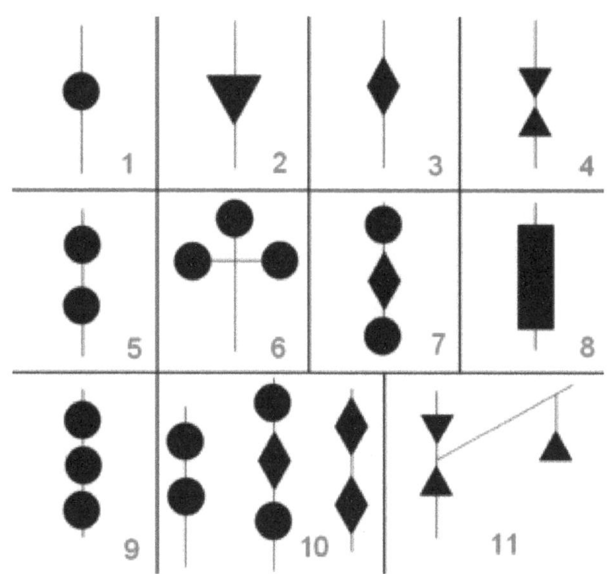

그림 59 규칙에서 배의 상태에 따른 형상물의 배치방법

구

구(Sphere)는 기하학에서 모든 면이 닫혀있는 곡면으로, 모든 점은 공간의 중심에서 동일한 거리를 가진다. 그림60과 같이 모두 같은 거리 r에 있는 점들의 집합으로 볼 수 있다.[63)64)] 모양을 보면 구가 독립적으로 사용된 경우와 구조물이 함께 사용된 경우로 구분할 수 있다. 배에 사용되는 구형물체는 낮에만 사용하기 때문에 저녁에는 접어서 보관하기 쉽도록 구조가 만들어졌다. 2차원 원형을 2개 겹쳐서 사용하여 원거리에서 구형처럼 보이는 것이다. 배와 표지에서 사용되는 구형 모양을 정리하면 배에서는 구 모양이 단독으로 사용되는 경우, 다른 모양의 구조물과 함께 사용되는 경우가 있고, 표지에서는 상부에 작은 구형을 올려서 사용하는 경우로 구분할 수 있다.

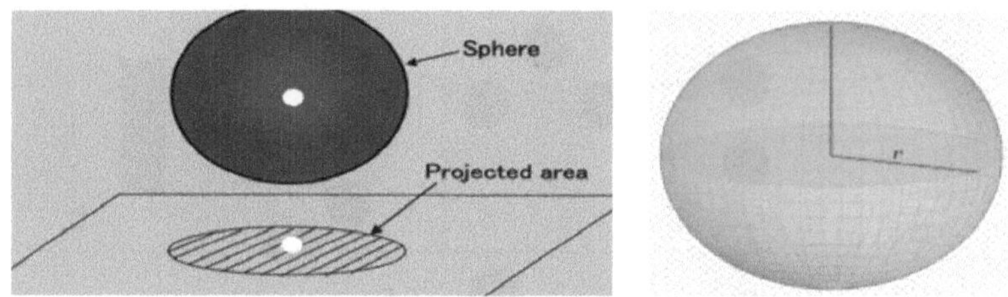

그림 60 구가 평면에 투영된 모습(왼쪽), 구의 본래 형상

항로표지에서 상부에 구형모양을 사용한 것은 다음 장의 그림과 19세기 후반에 독일에서 사용된 항로표지에서 사용된 항로표지의 구형과 매우 흡사한 것을 알 수 있다. 그리고 배에

63) https://www.marinebuoy.com/navigation-buoys/safe-water-mark-buoys/
64) https://lakehub.com/boating/what-do-buoy-colors-mean/

서 구형모양을 사용할 경우 그림61과 같이 나란히 연결해서 사용하는데 정박 중에는 1개, 이동이 제한되는 경우 2개, 좌초된 경우 3개를 사용한다. 항로표지와 비교하면 구형이 2개인 경우 '제한'이라는 의미를 관점으로 볼 때 고립장애표지의 구형 2개와 유사한 의미가 담겨 있다. 항로표지에서 1개의 구형이 빨간색과 함께 사용되는 경우 안전한 구역을 의미하는데 사례로 그림63 모양의 부이가[65] 있으며 유럽지역에서 사용되는 표지로 안전한 수역을 의미한다. 구형이 노란색이 사용되면서 상단의 X자 표시와 함께 사용되는 경우 전혀 다른 의미인 경고표지가 된다. 예로 그림64의 표지는[66] 군사훈련, 공사지역 등 의미를 지니고 있으므로 주의를 요한다.

그림 61 배에서 구의 사용 그림 62 흑구형상

그림 63 안전수역부표 그림 64 특수표지 그림 65 안전수역 등부표

그림 66 HMS 나탈부이 그림 67 19세기후반에 부표에 사용된 구형 모양

65) https://www.plovput.hr/en/aids-to-navigation/marking-on-fairways/safety-water-marks

66) https://www.ybw.com/features/navigation-essential-buoys-marks-8611

원뿔

입체로서의 원뿔은 하나의 원과 원의 평면 위에 있지 않은 한 정점이 주어졌을 때, 정점과 원둘레 위의 각 점을 선분으로 이어서 만들어진 곡면과 처음의 원으로 둘러싸인 도형을 말한다.[67] 그림68[68]과 같이 원뿔의 직교 투영된 면적을 보면 삼각형이며 이것은 눈으로 수평선에서 바라볼 때 모든 방향에서 삼각형으로 보임을 알 수 있다. 항해하는 배에서 어느 방향으로 보아도 삼각형으로 보이므로 모양을 통한 의미 전달이 일관성 있게 나타날 수 있다.

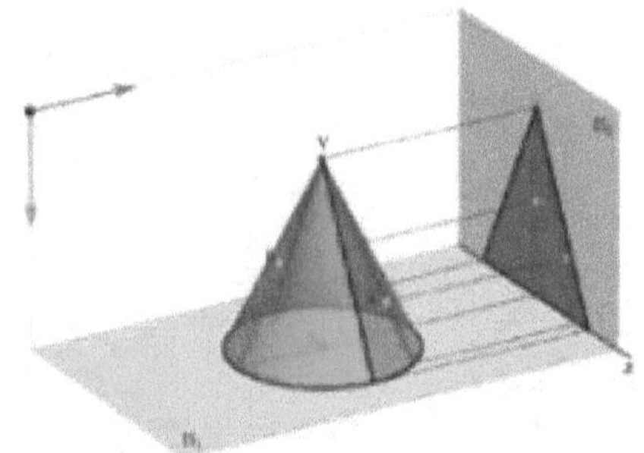

그림 68 원뿔 도형의 입체적 특성

---

67) https://ko.wikipedia.org/wiki/원뿔

68) http://www.grad.hr/geomteh3d/Monge/06projekcije/projekcije_eng.html

< 원뿔만 사용된 경우 >

그림69에서 왼쪽은 배에서 사용된 원뿔모양이고 오른쪽 2,3번째 그림은 원뿔이 사용된 부표이다. 원뿔은 멀리서 여러 방향에서 보면 삼각형 모양으로 보인다. 그러나 4번째 그림의 경우 원뿔 입체도형이 아닌 2차원 삼각형 구조를 활용하여 입체효과 사용하여 멀리서도 삼각형으로 보일 수 있도록 구조물을 만들었다.

그림 69 원뿔형태가 사용된 표지의 예(선박의 형상물과 부표)

< 다수의 원뿔이 사용된 경우 >

원뿔형이 다수 사용되는 경우도 있다. 아래 표9는 방위를 나타내는 측방표지로 표지의 상부에 원뿔형의 배치에 따라 표현하려는 방위가 달라진다. 원뿔이 2개 사용된 경우는 방위를 표현하는데 사용한다. 상·하 방향을 향하는 것과 마주보는 방향, 반대로 마주보는 방향에 따라 동서남북을 의미하는 바가 달라진다.

	서쪽	북쪽	동쪽	남쪽

표 9 2개의 원뿔 위치의 조합을 통해 부표 상부에 사용된 경우

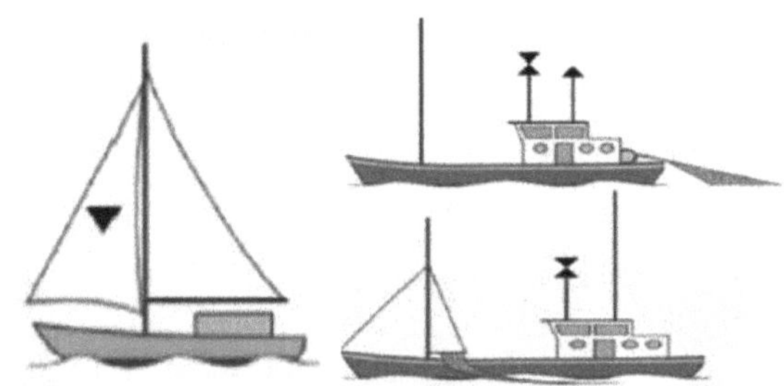

그림 70 배에서 다수의 원뿔이 사용되는 경우

그림70은 선박에 사용된 경우로 그림의 왼쪽과 같이 원뿔 한 개가 사용되면 동력이 없는 범선을 의미하고, 오른쪽의 원뿔 2개가 서로 마주보는 모양이면 트롤어선, 마주보는 원뿔에 꼭지점이 위로 향하는 원뿔이 하나 더 있으면 일반 어선을 의미한다. 배에서 사용되는 경우 수량과 방향, 배치에는 무관하게 전혀 다른 의미가 부여된 셈이다. [69][70]

69) https://wavveboating.com/blog/buoys-beacons-and-lights/
70) https://www.canoe-kayaks.com/tips-and-advice/what-do-buoys-mean/

< 표지의 상부분에 원뿔을 사용한 경우 >

그림71의 하단은 국제표준 Region-B(한국, 미국 등)에서 항구 로 진입하는 방향에서 오른쪽은 빨간색을 의미하고 꼭지점의 모양은 작은 빨간색 원뿔을 사용하였다.[71] 그러나 그림 71의 상단은 국제표준 Region-A(유럽, 호주 등)에서는 항구로 향하는 방향에서 오른쪽은 녹색을 의미하고 꼭지점의 모양은 작은 녹색 원뿔을 사용하였다. 상단의 그림은 Region-A인 뉴질랜드의 오른쪽을 의미하는 표지이고 그 옆의 그림은 가운데 띠 모양의 빨간색이 있고 맨 위에 원뿔이 위치하고 있어 색상으로 무언가 방향을 이야기하는 것처럼 보인다.[72] 반대로 가운데 띠의 형태로 녹색이 들어가 있기도 한다. 결론적으로 그림에서 보았을 때 Region-A, B는 공통적으로 항구로 들어가는 방향에서 색상은 서로 다르지만 오른쪽을 의미하기 위해 모두 원뿔을 사용한 것을 알 수 있다. 하지만 바다에서 표지의 원뿔과 오른쪽 방향에 대한 인과관계는 찾을 수 없기에 관습으로 정한 것임을 알 수 있다.

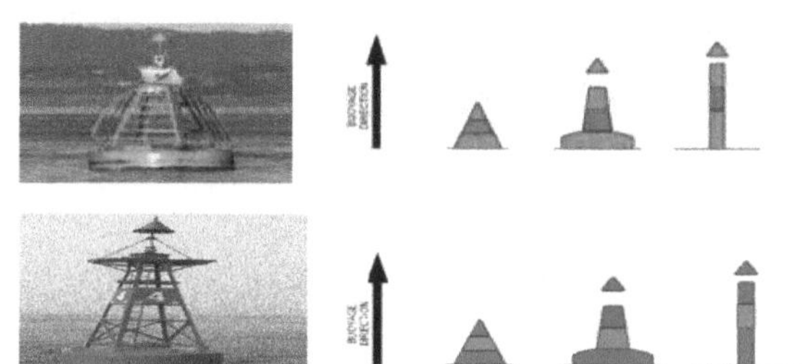

그림 71 상부분에 원뿔을 사용한 부표의 사례

71) http://shipinspection.eu/lateral-marks-region-b/

72) http://shipinspection.eu/lateral-marks-region-a/

원기둥

원기둥은 위와 아래의 평면(두 개의 밑면)이 원이고 고정된 축과 항상 평행인 직선의 회전으로 생긴 입체를 말한다. 그리고 두 밑면이 서로 평행하고 합동이다.[73]

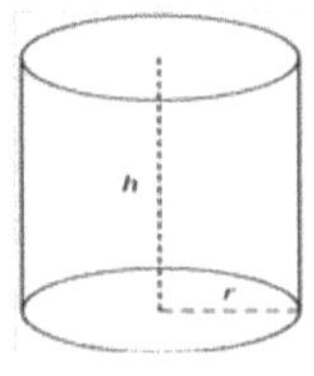

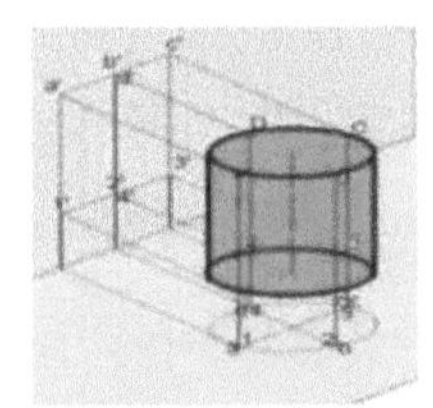

그림 72 원기둥의 입체적 특성

< 원기둥만 사용된 경우 >

아래의 그림과 같이 배에서 원기둥을 사용하는 경우 배에 중량물이 너무 많이 운반되고 있어서 밑바닥이 흘수까지 깊게 들어가서 이동이 어려운 것을 의미하고, 검은색 원기둥을 사용하였다. 항로표지의 원기둥은 그림75와 같이 손잡이나 굴곡이 있는 원기둥이 사용되었다.

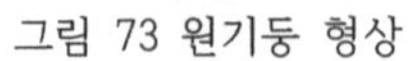

그림 73 원기둥 형상

그림 74 흘수제한 선박

73) https://ko.wikipedia.org/원기둥

그림 75 원기둥이 사용된 부표의 형상

< 상부 구조형태 + 넓은 원기둥 바닥 >

바다에 안정적으로 떠있기 위한 구조물로 원기둥 형태의 큰 받침대와 상부구조물로 구성되어 있다. 크기가 서로 다른 원통 모양이 합쳐진 형태로 상부 구조물은 탑과 같은 모양을 하고 있다. 하부원통이 넓은 면적을 차지하고 있는 것은 복원성을 유지하기 위함일 것이다. 그림77의 왼쪽 그림과 같은 모양을 보면[74] 무게중심이 위에 있을 때와 비교했을 때 아래 부분의 형상의 크기가 큰 경우 강한 파도나 너울에서도 쉽게 뒤집히지 않는 복원성이 강하다.[75]

그림 76 일반적인 부표 형태(넓은 하부)

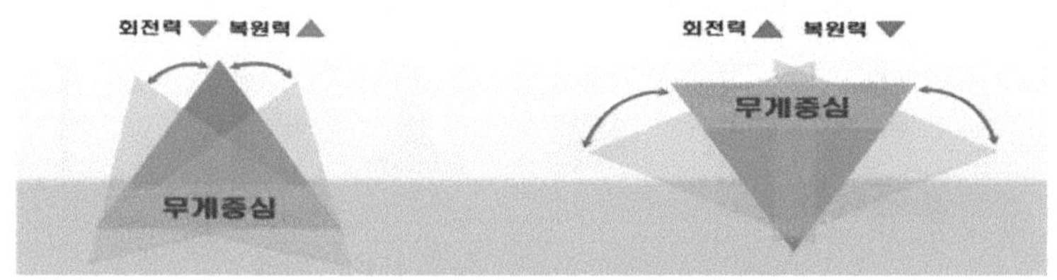

그림 77 무게중심의 위치에 따른 복원력

74) M-NAV-Solutions-Buoy-Catalogue-rev1.1

75) https://m.blog.naver.com/koreamof/221624611957

< 상부분에 원기둥을 사용한 경우 >

그림78 하단의 Region-B(한국, 미국 등)에서 항구로 진입하는 방향에서 왼쪽은 녹색을 의미하고 꼭지점 모양은 작은 녹색 원기둥을 사용하였다.[76] 그러나 그림78 상단의 Region-A(유럽 등)에서는 항구 방향에서 왼쪽은 빨간색을 의미하고 꼭지점 모양은 작은 빨간색 원기둥을 사용하였다. 그림은 Region-A인 뉴질랜드의 왼쪽을 의미하는 표지이고 그 옆의 그림은 어떤 방향으로 가도록 유도하는 표지로 가운데는 녹색, 상단에 빨간색 원기둥이 있다.[77] Region-A, B는 항구로 들어가는 시점에서 왼쪽 방향을 나타내기 위해 공통적으로 항구로 들어가는 방향에서 색상은 서로 다르지만 모두 원기둥을 사용하였다. 앞서 언급된 오른쪽을 의미하는 원뿔과 마찬가지로 왼쪽을 의미하는 원기둥이 왼쪽방향이라는 의미와 연관된 것을 찾을 수 없다.

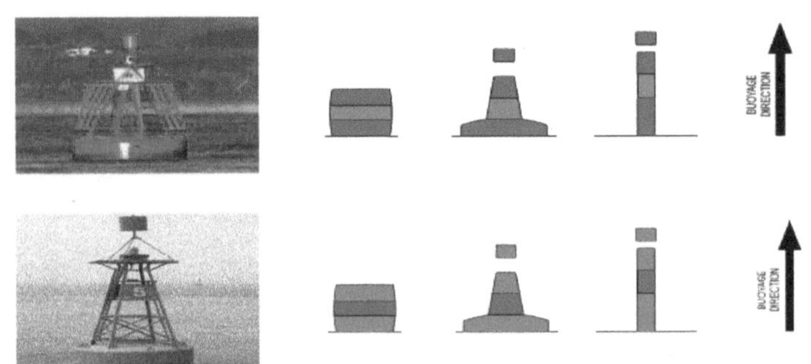

그림 78 상부분에 원기둥을 사용한 사례

76) http://shipinspection.eu/lateral-marks-region-b/
77) http://shipinspection.eu/lateral-marks-region-a/

그 외 특이한 모양들

< 십자가 모양 >

표지 상부에 십자가모양을 사용하는 특이한 경우가 있다. 상단 꼭지에 십자모양을 사용하는데 이것은 「기존에 등재되지 않은 새롭게 발견된 위험물」이라는 의미로 주의를 요하는 표지이다. 십자가와 파랑-노란색이 사용되어 눈으로 쉽게 인지할 수 있지만 일반적으로 주의를 요하는 색상인 빨간색, 검은색이 사용되지 않은 이유는 무엇인지, 십자가 모양에서 무엇인가 종교적이고 역사적인 해석을 해야 하는 것인지 이해하기 어렵다. 그림79의 첫 번째 왼쪽그림은 좌초를 의미하는 하는 Wreck 이라는 단어가 함께 사용되었고[78] 두 번째는 모든 방향에서 십자가로 보일 수 있도록 원판을 사용 하였다.[79] 오른쪽 그림은 큰 십자가 모양이 사용되었는데 같은 의미를 전달하더라도 크기와 모양이 다르다는 것을 쉽게 알 수 있다.[80]

그림 79 다양한 십자가 모양이 반영된 부표

78) https://www.trinityhouse.co.uk/commercial-services/our-services/buoy-services/buoy-rental/emergency-wreck-buoys
79) http://www.hiseamarine.com/2400mm-emergency-wreck-marker-buoy-5077.html
80) M-NAV-Solutions-Buoy-Catalogue-rev1.1

십자가가 안전디자인에 사용된 경우 적십자 휘장과 안전제일, 응급처치를 상징하는 녹색 십자가가 있다. 스위스 사업가 앙리 뒤낭(Henri Dunant)은 1859년에 통일전쟁이 한창이던 이탈리아의 솔페리노를 방문했을 많은 군인들이 죽거나 다치거나 처참하게 버려져 있는 현장을 목격하고 전상자를 구호하는 자원봉사단체 창설을 제안하였다. 이것이 제네바 협정에 따른 적십자(Red cross)의 계기가 되었다. 적십자의 상징은 알리 듀낭(Henny Dunant)의 조국이고 '제네바 협약'의 수탁국인 스위스에 경의를 표하기 위하여 스위스 연방의 국기를 인용하여 작성한 백지 적십자(red cross on a white ground)를 사용하고 있다[81]

(제 I 제네바 협약 제 38조)

"제네바 협약스위스에 경의를 표하기 위하여 스위스 연방의 국기를 반대로 작성한 흰 바탕의 적십자 문장을 군대의 위생기관의 표장 및 특수기장으로서 계속 사용토록 한다."

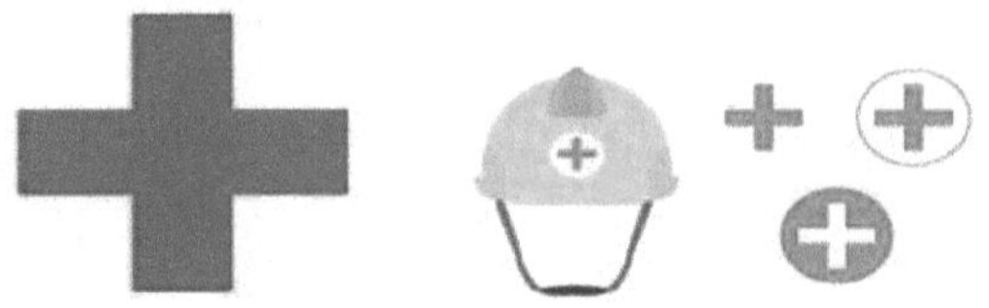

그림 80 공공장소에서 십자가가 사용되는 경우

응급 처치를 나타내는 데 사용되는 많은 기호가 있는데 앞서 언급된 적십자와 유사하지만 다른 의미가 담긴 십자가 모양이

81) https://www.medifonews.com/news/article_print.html?no=116604

다. 그림80과 같이 표준 응급 처치 기호 중 하나는 녹색 배경에 흰색 십자가 또는 녹색 십자가이다. 성 나자로 병원(Hospitallers of St. Lazarus)은 900년 전에 녹색 십자가를 사용한 것으로 알려졌다. 녹색 십자가 심볼이 성 나사로의 병원의 녹색 십자가를 베이스로 만들어졌는지 확실하지 않으나 관련성이 있는 것으로 여겨진다.[82] 이후 국제 표준화 기구에서 녹색 십자가는 구급의 상징으로 지정되었다. 그러나 이러한 배경에도 불구하고 표지에 사용된 십자가와 관련성을 찾기 어렵다.

< 'X' 표시 >

'X' 표시는 통상 부정의 개념을 나타내는 데 사용된다. 또는 외국에서는 체크 표시로 우리나라에서 사용되는 O 표시와 동일한 의미로 사용된다.[83] 그 외에도 유럽지역에서 전통적으로 위치를 나타내기 위해 사용된 보물지도의 'X'표시를 떠올릴 수 있다. 또한, 미지의 기호로 미지수를 구하는 수학 방정식에 'X'가 사용되기도 한다. 종교적으로는 네덜란드와 러시아, 프랑스 부르고뉴, 스페인과 라틴아메리카 등에서는 'X'가 안드레아의 십자가를 나타낸다.

82) https://www.mysafetysign.com/first-aid-symbol
83) https://en.wikipedia.org/wiki/X_mark

그림 81 중세 지도에서 사용된 'X' 마크

그림 82 공공디자인에서 사용되는 X 마크

안전디자인의 시각에서 보면 위험의 특성을 정의하는 것으로 사람들을 보호하기 위한「적절한 사용」지침 정보를 나타내는 역할을 한다. 그림82는 바베큐 그릴의 적절한 사용을 안내하고 있고 적절하지 않은 경우 'X'표시를 하고 있다.[84] 또한, 도로에서 주정차 금지 표지를 통해서도 금지하는 경우를 보이고 있다. 이를 종합해서 생각하면 미지의 지역과 상황에서 위치를 표시를 하는 것과 어떤 것을 금지하는 의미가 담겨있는 것이다. 그림83의 첫 번째 노란색 등부표는 중국에서 제작한 것으로[85] 여러 방향에서 'X'자로 보일 수 있도록 제작되었다. 그림83의 두 번째 부표는 필리핀과 호주에서 사용 중인 것으로 기상관측이 가능하고 태양전지를 부착하여 사용되고 있다.[86]

84) https://incompliancemag.com/article/graphically-conveying-complex-safety-messages/
85) https://www.marinebuoy.com/navigation-buoys/special-mark-buoys/
86) M-NAV-Solutions-Buoy-Catalogue-rev1.1

세 번째 그림은[87] 하단부가 원형이고 상부에 'X'를 부착한 경우로 영국에서 사용되고 있다.

그림 83 부표에 사용된 X 표시

우리나라에서는 이것을 특수구역표지로 칭하고 있으며 이러한 특수구역 표지의 경우 부표에는 문자, 숫자 또는 기호로 항로표지 명칭을 작성하여야 하고, 목적과 상황에 맞는 특수표지용 그림문자(픽토그램)를 사용할 수 있도록 하고 있으므로 형태와 색상에 구애받지 않는 자유로운 표현방법이 보장된 것으로 볼 수 있다.[88]

< 첨단기술 부표 >

그림84는 스웨덴의 부표인데 원격 제어 및 모니터링 시스템이 장착되어 있다. 배터리 에너지 수준, 정확한 위치를 모니터링해서 웹 사이트에서 그 상태를 알 수 있다. 그리고 부표의 수명이 끝나면 모든 부품의 재활용이 가능한데 표면의 플라스틱을 가공해서 새로운 플라스틱 제품의 원료로 사용이 가능하다.[89]

87) https://www.ybw.com/features/navigation-essential-buoys-marks-8611
88) 항로표지의 기능 및 규격에 관한 기준 제32조(부표의 문자·숫자·기호 등의 표기)
89) https://www.arctia.fi/en/news/meritaitos-green-buoy-truly-a-green-alternative.html

https://maritime-executive.com/article/stockholm-norvik-port-installs-smart-green-buoy

그림 84 스웨덴 스마트부표

그림 85 호주의 스마트부표

그림 85는 호주의 해양 관측 시스템으로 사용되는 부표로 기상관측, 태양복사열 측정과 수온, 수질, 염도를 측정할 수 있는 계측장치가 부착되어 있고 데이터가 거의 실시간으로 제공되어 표지 이상의 정보제공을 하는 기능이 강화되어 있다.[90] 그 외에도 여러 가지 사례가 더 있겠지만 이와 같이 첨단기술이 활용된 표지는 기존의 교통표지 역할에 한정되어 있지 않고 관측과 모니터링과 같은 부가적인 기능이 포함되어 나타나는 추세에 있다. 기능을 담기 위한 전자장치 부가물이 외부에 돌출되어 있다.

< 건축물모양 >

바다의 교통표지인데 건축물에 색상을 입힌 특이한 형태의 구조물들이 있다. 제주인근 해상에 준공된 파력발전소는 파도가 칠 때 내부 공기실의 공기압축으로 밀려난 공기가 터빈을 돌려 전기를 발생시키는 원리로 500kW급으로 제주 용수리 1.2km

90) P Rigby, Real-time marine observing systems: Challenges, benefi ts and opportunities in Australian coastal waters, Australian Journal of Civil Engineering · May 2014 https://imos.org.au/fileadmin/_processed_/d/8/csm_Darwin-NRS-3_70a4bc6ef5.jpg

앞 해상에 설치되었다. 그림86과 같이 고립장애표지가 요구하는 동일한 색상인 검은색과 빨간색 띠를 갖추고 있으며, 상부 기둥에 구형모양 2개를 나란히 배치하여 수중에 장애물이 있음을 알리고 있다.[91]

그림 86 고립장애 부표의 색상과 형상을 사용한 건축물

그림 87 특수표지 부표의 색상과 형상을 사용한 발전시설

발전시설이라는 동일한 시설이지만 고립장애를 사용하지 않고 그림87과 같이 노란색 특수표지의 기능을 하면서 특수한 시설이 있다는 것을 알리는데 무게를 둔 경우가 있다. 이들은 모두 공통적으로 상부에 'X' 표시를 가지고 있고 표면에 노란색을 활용하였다. 이처럼 건축물 모양의 구조물의 경우 건물이

91) 투데이에너지, 제주도 첫 파력발전소 준공 2016.7

일부가 수중에 있고 이를 외부에 표시하기 위한 기능으로 표지가 사용되었는데 만약 표지의 색상과 형태를 이해하고 있지 못한다면 그 기능과 정체를 쉽게 알 수 없을 것이다.

< 프로펠러를 부착한 모양 >

조류를 통해 발전을 일으키는 프로펠러가 바다 속에 있거나 바다위에 설치된 경우를 구분해 보았다.[92] 프로펠러는 회전을 통해 전기를 만들어 내는 기능을 하는데 수중이나 수면에 프로펠러가 있는 경우 고립장애표지의 색상으로 검정바탕에 빨간색 띠가 활용되었다.[93] 또한, 상부분에는 동일하게 구형모양 2개가 나란히 배치되어있다. 바다의 흐름이 전기를 만들어 내는 원리이나 인근을 이동하는 배와 수영하는 사람이 있는 경우 굉장히 위험한 구조물이 될 것인데 고립장애 색상과 형태에 대해 이해를 충분히 못하면 충돌 위험을 당할 수 있을 것이다.

그림 88 고립장애표지의 색상과 모양으로 프로펠러를 장착한 사례

92) http://www.see.murdoch.edu.au/resources/info/Tech/tidal/

93) https://labts.co.id/hr-wallingford-developed-tidal-turbine-collision-predictor/

프로펠러가 바다 위에 드러난 경우를 보면 윈드팜과 같이 대형프로펠러가 존재하는 경우를 볼 수 있다. 그림89 윈드팜[94]의 경우 주의해야할 시설물의 관점에서 고립장애 또는 특수표지의 모양이나 색상을 찾기 어려우므로 항로표지와 그 유사성을 확인하기 어렵다. 기둥 하단의 일정부분에 노란색이 활용된 것이 특징이다.

그림 89 윈드팜

94) https://sabik-offshore.com/products-applications/

3장

기호학과 의미화

1

기호학을 통한 의미화 과정

퍼스의 기호학

기호학은 크게 소쉬르(Ferdinand de Saussure)계열과 퍼스(Charles Sanders Peirce) 계열로 나누어져서 다양한 분야에 활용되고 있다. 소쉬르의 기호학은 언어와 연구에 기반을 두고 발전된 반면, 퍼스의 기호학은 텍스트 뿐 아니라 그래픽 언어, 모든 시각적 언어의 연구를 포함하고 있다. 언어는 선형적이고 연속적 기호인 반면 시각적 기호는 비선형적이고 즉각적 해석을 유도한다. 이러한 점을 고려해서 표지와 관련된 시각적 기호의 해석을 다루는 퍼스의 기호학을 바탕으로 분석하는 방법을 정하였다. 퍼스는 기호는 그림91[95]과 같이 기호에 의해 형성되는 삼각관계(triadic relationship) 전체를 의미하기도 하고, 삼각관계의 한 요소만을 의미한다고 보았

95) ·Per Mollerup, "Marks of Excellence: TheFunction and Variety of Trademarks", Phaidon Press Ltd., 1997 (박진숙 (2010). 그래픽심볼 국제표준의 기호학적 유형분류에 대한 실증적 연구 p109)

다. 즉, 인식론적 관점에서 궁극적으로 사람의 사고와 인식은 기호 간의 상호작용으로 이루어진다. 퍼스의 삼각형 기호구조 개념에서 표상이 사용자의 마음에 만들어낸 효과인 해석소는 표상의 특성에 따라 다르게 나타날 수도 있고 수용자의 문화나 사용되는 문맥에 의해 영향을 받기도 한다. 즉 상황에 따라 여러 다른 해석소가 생길 수 있는데, 해양교통 시각물의 대부분은 표상과 표상이 대신하고 있는 대상체가 아무런 인과관계가 없기 때문에 여러 가지 해석소가 동시에 일어 날 수 있다.96)

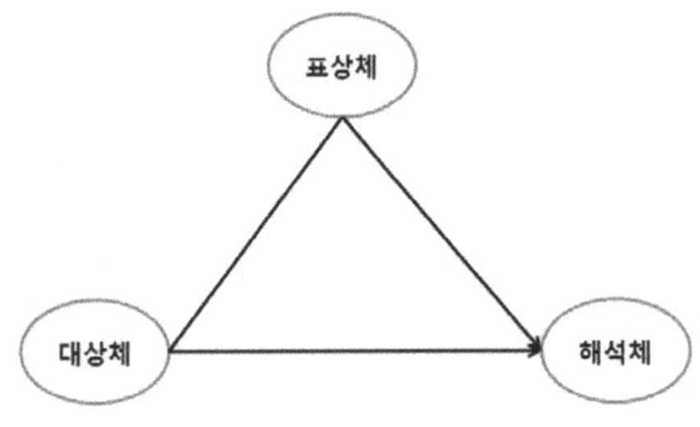

그림 91 퍼스의 삼각형 기호개념

그러나 해양교통 시각물은 해양의 안전과 밀접한 관계가 있기 때문에 표상체의 표현이 어떠하더라도 수신자의 문화적, 사회적, 사상적 관점 등의 상황에 다른 해석이 발생되면 안 된다. 즉, 대상체와 관계가 임의적인 커뮤니케이션 기호라는 점을 고려했을 때 해양교통 시각물의 의미전달과정을 파악하

96) 박진숙 (2010). 그래픽심볼 국제표준의 기호학적 유형분류에 대한 실증적 연구 p109

기 위해 퍼스의 기호학을 통해 접근이 필요하다. 퍼스는 미국의 철학자로서 이미지에 의한 비언어적 의사소통에 대한 연구를 하였으며 논리적인 소통과정을 통한 설득의 학문으로서, 기호학을 연구하였다. 연구에서 활용하고자 하는 퍼스의 기호학은 이러한 상징물이 의미 전달을 위해 기호는 어떻게 만들어지며 또 그 구조는 무엇이며, 어떤 의미를 담고 있고, 어떻게 의미가 작용하며, 이것이 수용자에게 어떻게 소통되는지를 파악하는데 필요하다. 퍼스는 발화자가 만든 기호가 수신자에게 전달되어 의미 있는 해석체가 만들어진다는 삼원적 구조를 기반으로 커뮤니케이션이 성립될 수 있다는 논리를 제시하였다. 이러한 커뮤니케이션에는 발화자와 해석자가 있는데, 이들 사이에 의사 전달이 이루어지며, 전달된 것이 모두에게 공통적인 해석체를 만들 수 있어야 한다는 것이다. 퍼스의 기호는 대상체, 해석체, 표상체라는 3가지 요소로 구성되어 있다. 대상체는 기호가 나타내고 있는 것이며, 표상체는 어떤 대상을 연상하게 하는 일정한 '형식'을 의미하고, 해석체는 기호의 '의미'에 해당된다.

퍼스는 이처럼 표상체, 대상체, 해석체의 3가지구성 요소로 성립된 기호를 대상체와 맺는 관계에 따라 나누었다. 퍼스의 기호분류는 유사성에 근거한 도상, 인과성에 근거한 지표, 관습성에 근거한 상징기호로 구분될 수 있다. 도상은 대상체와 비슷한 이미지 대상체를 간략화·양식화하여 서로 유사성을 갖는다. 화장실 표지나 모나리자 같은 인물화 사진 등이 대표적이다. 지표는 대상체로부터 동기화된 기호로서 대상체와 필연적인 인과성이 존재한다. 예를 들면 풍향계는 바람의 방향을 나타내는 지표로 우리는 바람이 부는 방향을 인지할 수 있다. 상징은 개념을 매개로 하여 규칙과 관습에 의해 사물 대상체를 지시한다. 이것은 어떤 대상과의 인과성 없이 약속에 의해 임의적으로 연결되는 기호이다. 사회적 관습과 약속이 바뀌거나 소멸하면 상징은 그 기능을 상실하며 별도의 해석 작용이 없으면 성립할 수 없다.

항로표지의 표시방법

항로표지는 IALA(International Association of Lighthouse Authorities)에서 전 세계적으로 규정하고 있다. 1977년에 IALA는 당시 존재하는 30개의 혼재되어 있는 표시방법을 크게 2가지의 표시방법으로 통일하였다. 지역 A는 유럽, 호주, 뉴질랜드 및 기타 국가에서 사용되는 표시방법이며 지역 B는 미주, 일본, 필리핀 및 우리나라에서 사용하는 표시방법으로 형태는 거의 유사하나 색상은 일부 반대를 사용한다.

(국제표준에 따른 지역구분)

IALA 지역 A : 아프리카, 대부분의 아시아, 호주, 유럽 및 인도
IALA 지역 B : 북미, 중남미, 일본, 한국 및 필리핀

구분		IALA 지역 A	IALA 지역 B
항구로 들어가는 방향 기준 왼쪽	색상	빨간색	녹색
	모양(꼭지점)	원기둥	원기둥
항구로 들어가는 방향 기준 오른쪽	색상	녹색	빨간색
	모양(꼭지점)	원뿔	원뿔

표 10 IALA 지역 A,B에 따른 부표의 조형적 특징

실제 지도에서 사용되는 경우 그림92[97],93[98]를 참고할 수 있다. IALA지역 A,B는 방향에 따른 원기둥과 원뿔 형태는 동일하나 색상이 다른 것을 알 수 있다. 지역 B는 우리나라

97) http://shipinspection.eu/lateral-marks-region-a/
98) http://shipinspection.eu/lateral-marks-region-b/

에 해당되므로 본서에서는 지역B를 대상으로 상징과 의미화 과정을 알아보려고 한다. 표지의 기호학 분석 대상인 이미지는 정부에서 공개한 자료를 활용하여 인용하였다.99)

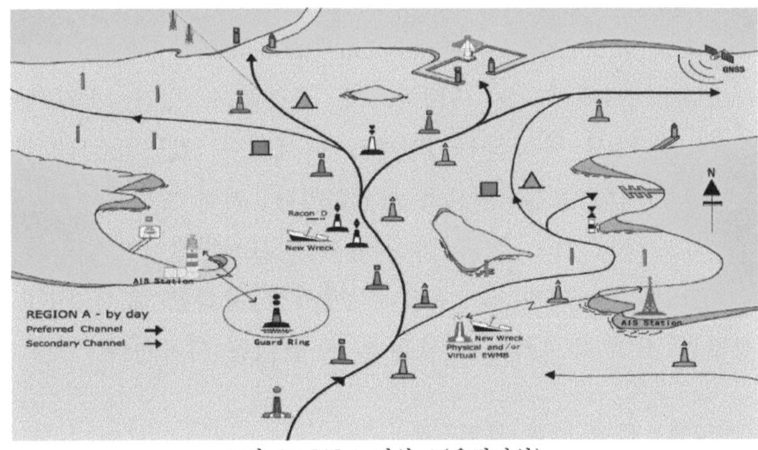

그림 92 IALA 지역 A(유럽지역)

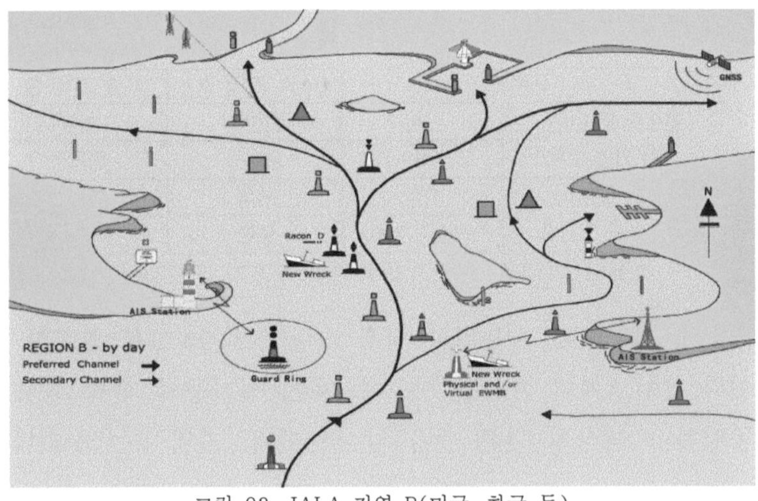

그림 93 IALA 지역 B(미국, 한국 등)

99) https://daesan.mof.go.kr/ko/page.do?menuIdx=3135

측방표지

① 좌현표지

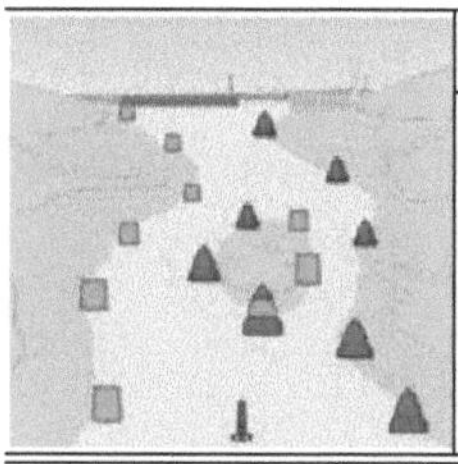	입표 	등표 	부표 	등부표 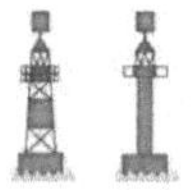

표상체	대상체	해석체	기호의 유형
녹색 원통형, 망대형, 상부 원기둥	전체 녹색, 상부 원기둥 모양의 입표, 등표, 부표, 등부표	표지의 위치가 항로 좌측에 있음 표지의 우측에서 항해가 가능함	〈상징기호〉 녹색, 상부 원기둥 → 진입 방향기준 으로 왼쪽 상징

표 11 측방표지(좌현표지)의 기호유형 분석

위 모양을 이해하기 위해 IALA 규칙을 보면 표지의 위치가 항로의 좌측 한계에 있고 우측에 가항수역이 있다는 점을 알리고 있다. 표상체의 관점에서 그래픽 이미지를 보면 부표를 제외하고 모두 길게 위로 솟아 있는 원통형, 망대형으로 입표와 등표는 지면 바닥에 고정된 것으로 흔들리지 않고 부표의 경우 원형 드럼통 같이 떠있는 모습을 하고 있다. 그리고 기둥하부가 물위에 떠있는 부유물이다. 또한, 공통적으로 상부 꼭대기에 네모 형상이 달려 있는데 이것은 모든 방위에서 동일하게 네모로 보일 수 있는 원기둥을 부착한 것이다. 색상은 녹색으로 지역B에서 녹색은 항구로 들어가는 방향에서 왼쪽에 있음을 의미하고 있다. 표11의 왼쪽 그림을 통해서도 알 수 있다.[100] 단순히 녹색과 원기둥 또는 원통 모양만으로 항구로 들어가는 방향의 왼쪽이라는 것을 연상하는 것은 불가능하다. 방향을 알 수 있는 화살표나 모양과 같은 형태들은 별도의 규정이 없어도 형태만 보아도 이해할 수 있지만, 표11 그래픽이미지에서 원통 모양은 방향과 아무런 관계가 없다. 따라서 규정된 관습 없이 모양과 색상 자체만으로 의미를 전달하는 것이 불가능하므로 이를 해석하기 위한 규칙이 필요하다. 퍼스의 기호학에서는 이러한 성질을 상징성이 강하다고 이야기 하고 있다.

퍼스는 상징기호에 대해 아래와 같이 정의하였다.[101]

> *"상징기호는 임의로 만들어진 기호이다. 기호의 형태와 대상의 의미 사이에 어떠한 연관이나 유사성이 없이 그저 약속에 의해서 성립된 기호가 상징기호이다. 이 '상징'은 일반적, 법칙적, 그리고 규범성에 의해 그 대상을 표의한다. 그러므로 사회에 어긋나는 것, 즉 사회구성원들 사이에서 의미작용에 관한 동의를 받지 않은 상징기호는 기호의 기능을 상실한다."*

좌현측방표지는 국가별 구성원이 합의를 통해 세운 규칙에 의해 녹색과 원기둥 모양이 왼쪽 방향에 있다는 상징적 의미를 부여하고 있으므로 상징기호이다. 그러나 방향이라는 것을 화살표로 이해일반적인 관습과 문화에서는 이해하기 어려운 부분이다. 이유는 알 수 없지만 화살표가 지닌 한계를 해결하기 위해 기하학적인 표현을 사용한 것으로 보인다.

---

100) https://www.safe-skipper.com/wp-content/uploads/2015/11/IALA-B-buoyage-1024x1024.jpg
101) 오늘의 현대미술론, 퍼스의 기호학|작성자 문화벌레
https://blog.naver.com/culturebug27/221024046232

가령 화살표는 보는 방향이 다르면 모양이 다르게 보일 수 있는데 원기둥이나 원뿔은 어느 방향에서도 동일한 모습으로 관찰될 수 있다.

② 좌항로 우선표지

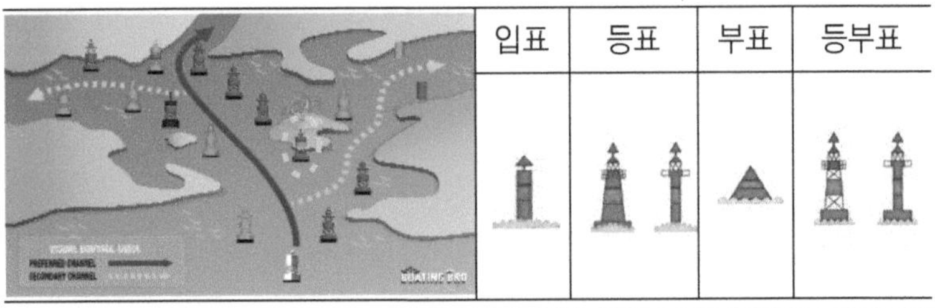

	입표	등표	부표	등부표

표상체	대상체	해석체	기호의 유형
배경 빨간색 녹색띠 원통형, 상부 형태 원뿔	입표, 등표, 부표 등부표, 빨간색 바탕의 녹색띠, 상부형태 원뿔	항구 입구 방향에서 분기된 곳에서 주 항로가 좌측에 있음을 의미	<상징기호> 빨간색바탕 녹색띠, 상부 원뿔 <지표기호> 중앙에 표시된 녹색띠 →녹색부표가 있는 왼쪽 항로와 인과 관계

표 12 측방표지(좌항로 우선표지)의 기호유형 분석

위 모양은「항구 입구 방향에서 분기된 지점에서 주 항로가 좌측에 있음」을 의미한다. 분기점에서 왼쪽 항로가 주된 경로임을 의미하는 것이다. 표상체의 관점에서 전체 구조를 보면 좌우현 측방표지에서 언급하였던 모양과 동일하다. 또한 표12의 우현 측방표지와 유사한 색상과 모양으로 상부 꼭대기에 원뿔형 모양이 달려 있고 바탕색상은 빨간색을 적용하여 오른쪽과 관련된 의미가 있다. 그러나 유일하게 가운데 녹색띠 하나가 큰 차이점으로 나타난다. 이것을 해석하기 위해 지도를 보면 그 의미를 유추할 수 있다. 표12 상단의 왼쪽 지도와 같이 첫 번째 좌항로 우선 부표 위치는 노란색 점선

표시를 보면 알 수 있듯이 첫 번째 분기점에 있고 우선 항로는 왼쪽 실선으로 그려져 있고 보조항로는 오른쪽 점선으로 표시되어 있다. 이때 빨간색이 배경이고 중앙에 녹색띠를 표시한 부표는 모양 그자체로 보면 규정을 확인해야 의미를 알 수 있는 상징기호이다. 그러나 중앙의 색깔을 보면 왼쪽 항로의 부표와 동일한 녹색임을 알 수 있다. 이것은 분기점에서 왼쪽인 녹색표지의 방향으로 이동하라는 의미로 표상체인 녹색과 대상체인 왼쪽방향과 인과관계가 있는 것으로 지표기호의 성격을 담고 있는 것으로 해석하게 된다.

퍼스가 정의한 지표기호의 정의를 보면 분명히 이해할 수 있다.

> *"지표기호는 표현하고자 하는 대상의 부분, 또는 그 대상의 인과적인 관계를 가지고 있는 것으로써 수용자에게도 동일하게 인식되는 것이다. 즉, 다시 말해 대상체와 표상체 사이에 인과관계가 존재함을 의미한다."* [102]

또한, 표지 전체모양이 상징기호인 것을 바탕에서 해석한 것으로 상징성 안에서 지표성이 이루어진 것으로 이해할 수 있다. 이러한 해석 원리는 상징은 지표를 포함한다는 리슈카의 연구에서도 드러난다.103)

102) [출처] 오늘의 현대미술론, 퍼스의 기호학|작성자 문화벌레

103) 리슈카는 아래와 같이 상징은 지표의 성질을 포함한다고 하였다.

"개별기호는 항상 성질 기호를 포함하고 법칙기호는 항상 개별기호를 포함한다. 지표는 도상을 포함하고, 상징은 지표를 포함한다."

(제임스 리슈카, 『퍼스 기호학의 이해』, 이윤희 역, 한국외국어대학교 출판부, 2013)

③ 우항로 우선표지

	입표	등표	부표	등부표

표상체	대상체	해석체	기호의 유형
배경 녹색 빨간색띠 원통형, 상부 형태 원기둥	입표, 등표, 부표, 등부표 녹색바탕 빨간색 띠 상부형태 원기둥 방향 추정 가능	항구 입구 방향에서 분기된 지점에서 주 항로가 우측에 있음을 의미	<상징기호> 녹색바탕 빨간색띠, 상부 원기둥 <지표기호> 중앙에 표시된 빨간색띠 → 빨간색 부표가 있는 오른쪽 항로와 인과관계

표 13 측방표지(우항로 우선표지)의 기호유형 분석

위 그림은「항구 입구 방향에서 분기된 지점에서 주 항로가 우측에 있음」을 의미한다. 분기점에서 오른쪽 항로가 주된 경로임을 의미하는 것이다. 표13과 같이 표상체의 관점에서 그림의 전체 구조를 보면 좌우현 측방표지에서 언급하였던 모양과 동일하다. 또한 좌측 측방표지와 유사한 색상과 모양으로 상부 꼭대기에 원기둥 모양이 달려 있고 바탕색상은 녹색을 적용하여 오른쪽과 관련된 의미가 있다. 그러나 유일하게 가운데 빨간색띠 하나가 큰 차이점으로 남는다. 표13 상단의 왼쪽 지도와 같이 두 번째 항로우선 부표 위치는 노란색 점선표시를 보면 알 수 있듯이 두 번째 분기점에 있다. 또한, 우선 항로는 오른쪽 실선으로 그려져 있고 보조항로는 왼쪽 점선으로 표시되어 있다. 이때 녹색이 배경이고 중앙에 빨간색 띠를 표시한 부표는 모양 그자체로 보면 규정을 확인해야 의미를 알 수 있는 상징기호이다. 그러나 중앙의 색깔을 보면 오른쪽 항로의 부표와 동일한 빨간색 색임을 알 수 있다. 이것은 분기점에서 오른쪽인 빨간색표지의 방향으로 이동하라는 의미로 표상체인 빨간색과 대상체인 오른쪽 방향과 인과관계가 있는 것으로 퍼스의 지표기호에 해당된다.

④ 북방위 표지

	입표	등표	부표	등부표

표상체	대상체	해석체	기호의 유형
상부검은색, 하부노랑 원주형 상향원뿔 2개	입표, 등표, 부표, 등부표 검정, 노랑 상향원뿔 2개 북쪽 방향 표시	표지의 북측에 가항 수역이 있음 표지의 남측에 장애물 있음 표지 북측에 항로 출입구, 분기점이 있음	< 상징기호 > 검은색과 노란색 사용 → 동서남북 방위 의미 < 지표기호 > → 원뿔의 방향과 검은색 위치의 인과관계

표 14 측방표지(북방위 표지)의 기호유형 분석

위 모양은 「표지의 북측에 가항수역이 있고 남쪽에 암초, 침선과 같은 장애물이 있다.」는 것을 의미한다. 위 표지는 항구로 들어가는 부근에 암초구역이 있을 경우 그 구역을 피해서 갈 수 있도록 안내하는 표지이다. 표14와 같이 중앙의 암초구역을 중심으로 동서남북에 위치하고 있는데 빨간색 점섬으로 표시한 북방위 표지의 색상과 구조를 보면 노란색과 검은색을 사용하였고 노란색이 아래, 검은색이 위에 위치하고 있다. 또한, 상부 꼭대기에 2개의 원뿔모양이 나란히 같은 위쪽 방향으로 달려 있다. 그림의 배치와 같이 원뿔 2개의 모양이 동서남북에 따라 그 배치가 달라지는 것을 보고 방향과 관련이 있는 것을 알 수 있다. 이것은 나침반이 무엇인지 알고 있으면 더 쉽게 이해할 수 있는 표지로 나침반의 위쪽은 북쪽 아래쪽은 남쪽이라는 것을 알고 있다면 이해할 수 있다. 또한, 노란색과 검은색을 사용하였는데 색상자체가 지닌 의미보다는 색상이 사용된 위치가 더 중요하다. 색상의 배치를 방위에 따라 4가지 방식으로 정하고, 그 위에 원뿔의 배치도 바꾼 것이 특징이다. 북방위 표지의 경우 원뿔 2개가 상향을 취한 것은 북쪽 방향을 지칭하고 있는 것으로 북쪽과의 관련성을 알 수 있다. 검은색 위치를 보면 원뿔이 위쪽을 향하고 있으면 위에 위치하고 있고 원뿔이 아래를 지칭하면 아래쪽에 위치하고 있다. 원뿔이 향하는 방향과 인과관계가 있는 것이다. 따라서 표지의 전체 모양은 규정을 확인해야 그 의미를 알 수 있는 상징기호에 해당된다.104)

104) 오늘의 현대미술론, 퍼스의 기호학|작성자 문화벌레

⑤ 동서방위 표지

방위	입표	등표	부표	등부표
동쪽				
서쪽				

표상체	대상체	해석체	기호의 유형
① 동방위 표지 검정바탕의 노란색 띠 원주형 원뿔상하 방향	입표, 등표, 부표, 등부표 노랑띠/검정바탕 상/하 방향 원뿔 동쪽 방향 표시	표지의 동측에 가항수역이 있음 표지 서측에 장애물 표지 동측에 항로 출입구, 분기점 있음	< 상징기호 > 검은색과 노란색 상하방향 원뿔 → 동쪽을 의미 < 지표기호 > 원뿔의 방향과 검은 색의 위치
② 서방위 표지 노랑바탕의 검은색 띠 원주형 마주보는 원뿔	입표, 등표, 부표, 등부표 검정띠/노랑바탕 마주 보는 원뿔 서쪽 방향 표시	표지의 서측에 가항 수역이 있음 표지 동측에 장애물 표지 서측에 항로 출입구, 분기점 있음	< 상징기호 > 검은색과 노란색 마주보는 방향 원뿔 → 서쪽을 의미 < 지표기호 > 원뿔의 방향과 검은 색의 위치

표 15 측방표지(동-서 방위 표지)의 기호유형 분석

위 모양은 「표지의 동측에 가항수역이 있고 서쪽에 암초, 침선과 같은 장애물이 있다.」는 것을 의미한다. 표15와 같이 중앙의 암초구역을 중심으로 동서남북에 위치하고 있는데 그림의 원판에서 왼쪽은 서쪽, 오른쪽은 동쪽을 의미한다. 동쪽(E)방위표지의 경우 상부분의 원뿔이 표시하는 방향은 각각 위아래 반대방향을 보이고 상하부분 검은색, 중앙부분은 노란색이다. 검은색이 방향을 의미한다고 할 때 검은색이 위, 아래 위치해 있는 것으로 표지에 남쪽과 북쪽 방향을 모두 가지고 있는 것이다. 상부 꼭대기 2개의 원뿔모양은 위와 아래를 향하여 서로 반대 방향으로 달려 있다. 그러나 이러한 모양과 색상의 위치가 동쪽과 어떤 인과관계는 알 수 없으므로 지표기호로 보기 어려우며 정해진 규정에 따라 방향을 찾을 수 있는 상징기호에 해당된다. 그러나 원뿔이 향하는 방향과 검은색의 위치의 인과관계는 분명히 존재하므로 지표기호에도 해당된다.

고립장애 표지

고립장애표지는 「표지의 위치 또는 주위에 암초, 천소, 침선 등의 고립 장애물이 있음」을 의미한다. 전체 구조를 보면 방향을 의미하고 있지는 않고 빨간색과 검은색을 활용하여 무엇인가를 강조하려는 의도가 있음을 알 수 있다. 형태는 전반적으로 입표, 등표, 부표, 등부표로 앞서 언급된 표지와 동일한 모습을 하고 있지만 상부의 검정원형 2개가 나란히 배치되어 있는 것이 독특하다.

입표	등표	부표	등부표

표상체	대상체	해석체	기호의 유형
검은색 바탕 빨간색 망대형, 검정원형 2개	입표, 등표, 부표, 등부표 시인성이 높은 검은색과 빨간색 검정원형 2개 사용으로 제한이 있는 구역 의미	표지의 위치나 주위에 암초나 고립 장애물이 있음	< 상징기호 > 검은색 바탕 빨간색 → 제한구역 의미 <지표기호> 검정원형 2개 → 제한상황 의미

표 16 고립장애 표지의 기호유형 분석

2개가 나란히 배치된 검정 원형모양은 고립장애 표지가 유일하다. 그러나 후반부에서 선박의 시각물에 대한 기호학 분석에서 언급을 하겠지만, 2개의 검은색 원형은 배에서도 사용되고 있는데 움직임이 제한된다는 의미로 사용되고 있다. 만약 배에서 사용되는 원형 2개의 의미를 안다면 고립장애 표지를 보면 접근이 제한된다는 의미를 유추할 수 있을 것이다. 상부의 검정원형 2개는 배에서 사용된 검은색 원형의 상징을 이미 알고 있다는 것을 전제로 한다면 표상체에서 행동의 인과관계의 유추가 가능한 지표기호로 볼 수 있다.

IALA의 표지지침에서도 2개 검정원형에 대해 아래와 같이 해석하고 있는데 이를 통해서도 그 모양은 어떤 제한사항이 내포된 것임을 보여주고 있다.

" 이중구형의 상부 마크는 주간의 모든 격리 위험 표시의 매우 중요한 특징이며, 모든 곳에서 사용해야 함."

안전수역 표지

이것은 「표지의 주위는 항해가 가능한 수역의 가운데에 있음」을 의미한다. 안전수역표지의 특이한 점은 바다의 바닥에 고정되는 입표와 등표가 없다는 점이다. 그래서 바다위에 떠 있는 부표와 등부표가 사용된 것으로 보인다. 표상체 관점에서 보면 길게 위로 솟아 있는 망대형으로 상부 꼭대기에 빨간색 원형이 달려 있는데 모든 방위에서 동일하게 원형으로 보일 수 있는 구를 부착하였다. 구조물의 전체 색상은 빨간색과 흰색을 세로방향으로 사용하였다. 빨간색 바탕에 흰색이 사용된 것은 어떤 경우에도 선명하게 보이기 때문이다.

	부표	등부표

표상체	대상체	해석체	기호의 유형
빨간색-흰색 세로방향 배열 구, 망대, 원주형 빨간색구형 1개	부표와 등부표 흰색을 빨간색과 대비하여 사용	본 표지의 주위는 항해가 가능한 수역 가운데에 있음	〈 상징기호 〉 흰색-빨간색 → 안전수역

표 17 안전수역표지의 기호유형 분석

빨간색은 그 색깔이 대기 입자에 의해 흩어지지 않아 잘 보이고, 산란이 적기 때문에 먼 곳에서도 확인할 수 있고 모양과 색상에 담긴 의미전달을 강하게 할 수 있다. 안전한 수역이라는 의미와 위의 색상과 직접적인 인과관계를 찾기 어렵지만 일반적으로 경고와 주의환기와 관련된 의미로 사용되는 것을 알 수 있다. 따라서 이것은 국제적인 규칙과 관습에 의해 대상체를 지시한 것으로 규칙에서 안전수역이라는 의미를 확인해야 알 수 있는 상징기호이다.

그림 94 다리통과 시 안전한 이동통로를 상징하는 표지

안전수역을 의미하는 빨간색과 흰색을 사용한 상징기호를 유사하게 사용한 사례를 보면 그림94와 같이 교량에서도 안전한 이동 경로를 표시하기 위해 사용한 표지를 들 수 있다. 교량에 부착된 안전표지는 원형 테두리 안에 세로 방향의 빨간색과 흰색을 사용하였다. 이는 선박이 통항하는 구역에 설치된 교량의 시설물을 보호하고 교량 아래를 통항하는 선박의 안전위하여 특수 표지로 사용되고 있다.105)

105) http://www.woorimarine.com/product/item.asp?id=22
http://www.newmarine.co.kr/?param=move¶m1=user¶m=product_05

신위험물 표지

신위험물 표지에 대한 공식적인 해석에 따르면 '수로도지에 등재되지 않은 새롭게 발견된 위험물들을 표시하기 위하여 사용되는 표지'를 의미한다. 위 표지는 특이하게 도상, 상징, 지표기호의 모든 특징을 갖추고 있다. 표상체의 관점에서 원통형, 망대형으로 다른 표지와 모두 동일하나 유일하게 'WRECK'이라는 문자를 사용하고 있다.

등부표

표상체	대상체	해석체	기호의 유형
청색/황색 세로 방향 줄무늬 망대, 원주형 WRECK문자 황색십자("+")	색상대비가 큰 노랑과 파란색을 사용하여 시각적 자극을 높임 노랑 십자 사용으로 의미 전달	신 위험물 표지로 수로도지에 등재되지 않은 새롭게 발견된 위험물	〈도상기호〉 'WRECK' 문자를 사용 시 문자에서 난파선임을 확인 〈 상징기호 〉 세로방향 노랑과 파란색 → 새로운 위험물 〈 지표기호 〉 십자표시 → 특정위치 표시

표 18 신 위험물 표지의 기호유형 분석

'WRECK'의 영한사전에서의 사전적 의미는 파괴된 배의 잔해를 의미한다. 'WRECK'이라는 단어의 사용으로 해석 작용 없이 문자로 의미전달이 일어나므로 도상성이 있다. 퍼스의 도상에 대한 아래와 같은 정의를 통해서도 알 수 있다.106) 지시의 대상은 난파선과 'WRECK'은 같으므로 도상기호인 것이다.

"도상기호란 지시 대상과 닮은 관계를 유지하는 기호를 의미한다."

색상은 보면 구조물의 세로방향으로 노란색과 파란색을 번갈아 사용하여 눈에 쉽게 보일 수 있는 특징을 가지고 있다. 새로운 위험은 난파선이나 새롭게 확인된 암초 같은 것으로 보이는데 단순히 노란색-파란색에서 새로운 위험물을 예상하는 것은 어려우므로 의미를 알기 위해 색상만 보면 규정적인 해석이 따를 수밖에 없다. 따라서 표지에 사용된 색상은 상징기호에 해당된다. 마지막으로 상단의 십자가이다. 독특하게도 상부 꼭대기에 십자가 형상이 달려 있는데 의미전달을 위한 목적이 있는 것으로 보인다. 십자가는 2장의 조형성에서 설명한 바와 같이 응급처치 또는 사상자의 발생과 같은 사건과 연관성이 있을 뿐만 아니라 십자표시는 위치를 표시하는 방법으로 사용되고 있으므로 사건이 있었던 곳의 위치라는 점을 유추할 수 있다. 십자가 표시와 새롭게 발견된 위험물인 수중장애물 난파선의 관련성을 지을 수 있으므로 지표기호에 해당된다.

---

106) [출처] 오늘의 현대미술론, 퍼스의 기호학|작성자 문화벌레

특수표지

특수구역 표지는 노란색 단색을 활용하였으며 하단에 픽토그램을 활용할 수 있도록 하고 있다. 표지의 주위가 공사구역 또는 표지부근에 특별한 시설이 있다는 것을 의미하고 있다. 특수표지는 항해자의 이용 효율을 증진시키기 위하여 부표에는 문자, 숫자 또는 기호로 표지의 의미를 표시하며, 그림문자(픽토그램)를 사용할 수 있도록 하고 있다.[107]

	입표	등표	부표	등부표

표상체	대상체	해석체	기호의 유형
노란색 망대형, 원주형 노랑 X표시	노란색은 빛의 파장이 길어 어두운 곳에서도 잘 식별되며 안전, 주의와 관련된 의미로 사용됨	표지의 주위가 공사구역 또는 표지부근에 특별한 시설이 있음	〈도상기호〉 문자나 픽토그램 사용 → 특수표지 확인 〈 지표기호 〉 X표시 상단 → 위치표시 확인

표 19 특수표지의 기호유형 분석

107) 항로표지의 기능 및 규격에 관한 기준 제32조(부표의 문자·숫자·기호 등의 표기)

픽토그램만으로 어떤 상황인지 이해할 수 있도록 표현되어 표상체를 보면 그 의미를 충분히 알 수 있도록 만들어져 있다는 점을 고려하면 도상기호에 해당된다. 예를 들면 노란색 바탕위에 공사구역은 바다위의 크레인 모양을 통해서 연상할 수 있다. 이를 통해 다른 형상표지와는 예외적으로 특수표지는 노란색 바탕에 어떤 업무구역과 관련된 기호를 표시하여 그 의미를 분명하게 나타낸다. 그러므로 특수표지는 표시된 픽토그램을 관찰해도 의미에서 대상체를 쉽게 알 수 있는 도상성이 강함을 확인할 수 있다. 그러나 지표의 성질도 가지고 있다. 상단의 X표시를 보면 위치를 표시하고 있음을 유추할 수 있다. 이러한 예를 들면 유럽지역에는 전통적으로 위치를 나타내기 위해 'X'표시를 사용하고 있다.

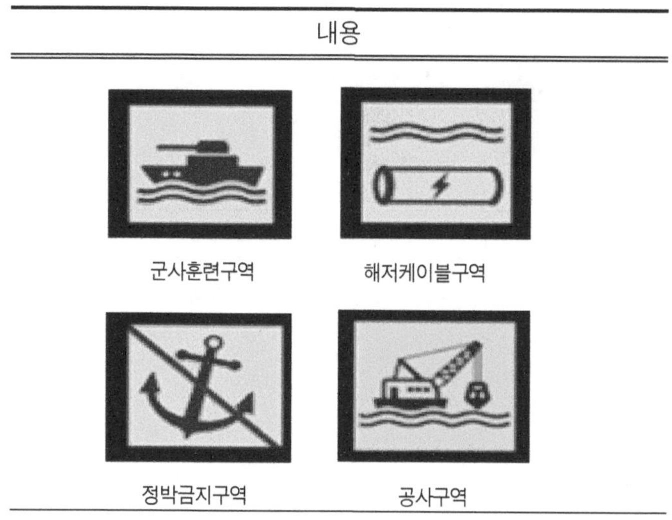

표 20 특수표지에 사용되는 픽토그램

① 도 등

도등은 항해자가 동일한 각도에 있는 등화를 보고 항로를 유지하여 항해할 수 있도록 동일 수직선상에 두 개 또는 그 이상의 등화를 설치한 시설로서 이용구간 내에서 선박을 정확히 유도한다. 특정한 위치에서 두 개의 직사광선이 일치되면 특정 위치에 도달한 것을 알 수 있도록 빛을 이용하여 유도하는 것으로 어떤 각도에서 나타나는 빛은 도등으로 볼 수 있다. 따라서 표상체에서 그 의미를 알 수 있도록 만들어져 있다는 점을 고려하면 도상기호에 해당된다.

그림[108]

표상체	대상체	해석체	기호의 유형
설치 장소 주변 배후 색상에 비해 현저하게 대비되는 색상의 빛	선박을 정확히 유도할 수 있는 두 개의 광체	동일한 각도에 있는 등화를 보고 항로를 유지하여 항해할 수 있도록 동일 수직선상에 등화를 설치	〈 도상기호 〉 섬에서 방향을 유도하는 빛에서 도등임을 알 수 있음

표 21 도등의 기호유형 분석

108) https://www.sailingissues.com/navcourse9.html

② 등대

구 분	등탑	거주구+등탑	특이한 형태
등대의 디자인	마라도등대	선미도 등대 대진등대	장승등대 연필등대 대게등대

표상체	대상체	해석체	기호의 유형
탑과 거주구역이 있음 임의의 색상, 형태 또는 재질을 사용할 수 있고 야간에 광선을 사용	기둥형상의 등탑과 빛을 발하는 등롱으로 구분되며, 다양한 표현방법이 있음	육지의 위치를 알려주는 역할	〈 도상기호 〉 조명탑의 모양에서 등대임을 알 수 있음 〈 지표기호 〉 특이한 형태의 등대는 지방의 특색을 드러내기 위해 모양을 사용

표 22 등대의 기호유형 분석

등대는 상징적인 의미에서 자주 사용되어 많은 사람들에게 익숙한 구조물로 바다 방향으로 돌출한 육지, 항만입구, 섬에 설치된 탑 모양이 있다. 등대는 과거에는 등대 건축물이 전통적인 등탑형태를 유지하였으나 규범에서 색상과 형태를 제한하지 않으므로 다양한 모양이 나타날 수 있다. 표22를 보면 등탑과 거주구가 합쳐진 모양이 있고, 해당지역을 특성을 반영한 장승모양, 연필모양과 같이 특이한 형태의 등대가 나타나기도 했다. 광파표지 중에서 일반적인 형태의 등대는 익숙하게 알려진 모양에서 등대라는 것을 알 수 있으므로 도상기호이다. 그러나 특이한 형태의 등대는 대게, 장승, 연필과 같은 상징물을 사용한다. 이러한 상징물은 그 지역을 대표하는 것들로 지역의 특색과 관련되어 있으므로 그 관계를 추론할 수 있는 지표 기호에 해당된다. 예를 들면 연필 등대의 경우, 연필을 통해 책이나 공부를 떠올릴 수 있는데 책과 인과관계가 형성됨을 통해 문학기념 등대를 나타내고 있으며, 대게 등대의 경우 일반인들에게 대게로 잘 알려진 영덕 지방을 연상하게 하여 인과관계를 통해 영덕에 위치하고 있다는 점을 부각시키고 있다. 등대는 많은 사람들에게 관습적으로 알려진 건축물이다. 여행에 대한 여론조사에서도 사람들이 가고 싶어 하는 장소 중에 항상 등대가 있는 것으로 알려져 있다. 이를 통해 등대라는 표상체가 해석체로서 갖는 의미는 육지에 설치된 이정표로 쉽게 연상할 수 있는 점이 있고, 버지니아울프의 <등대로>에서도 등대로의 소풍을 꿈꾸는 대목이 나오는 것과 같이 등대는 현실적인 강박에서 탈출을 꿈꾸는 곳이 되기도 하여 해석체로서 갖는 해상교통신호의 의미 이외에도 다양한 의미를 가질 수 있는 점을 고려하면 도상성과 지표성을 모두 가지고 있다고 볼 수 있으므로 창의적인 디자인 방식 적용이 가능하다.

③ 등선

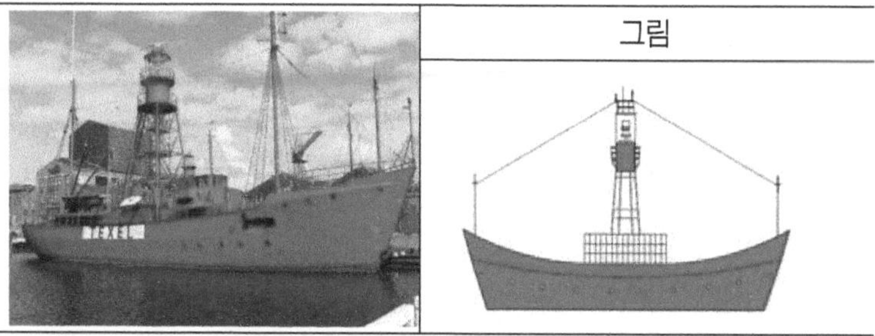

표상체	대상체	해석체	기호의 유형
전체 빨간색 등탑 모양 선박	선체와 등화 지지탑은 대개 빨간색 도색	육지인접 표시 또는 위험표시를 위한 항로표지	〈 도상기호 〉 배 위에 조명등을 통해 등선임을 확인 〈 상징기호 〉 빨간색 배 → 육지 인접구역

표 23 등선의 기호유형 분석

표상체에서 그 의미를 알 수 있는 것은 등선이다. 빨간색은 일반적으로 공공디자인에서 강한 경고를 담기 위해 행위의 금지를 의미하고 있다. 표23과 같이 빨간색 배와 등탑이 있는 것이 특징이며 그 모양만으로 등이 달린 선박인 등선임을 알 수 있으므로 도상기호에 해당된다. 빨간색은 금지 또는 경고와 약간 다른 의미로 규범에서 정의되고 있다. IALA규정에서는 항해에 도움이 되도록 지정된 지리적 위치에 정박한 선박으로 위험을 표시하거나 상륙 표시로 정의하고 있다. 이와 같이 규정을 통해 의미 해석이 필요한 부분으로 상징기호에 해당된다. 기존의 등대 타워와 같은 역할도 하면서 선박이 동일한 위치에 영구적으로 정박해 있는 독특한 면이 있다.

선박의 주간과 야간 시각물

여러 나라들의 협의를 통해 만들어진 국제해상충돌 예방규칙에 따라 선박은 자신의 상태를 알리는 방법을 갖추고 있어야 하며 밤과 낮에 자신의 상태를 표시하는 방법이 정해져 있다. 낮에는 검은색 기하학 형상을 이용하여 자신의 상태를 알리고 밤에는 빨간색, 녹색, 백색 빛을 사용하여 주간의 상황을 동일하게 전파하는 역할을 한다. 그러나 그림95와 같이[109] 그 종류가 너무 다양하여 암기를 하지 않는 이상 단순히 보는 것만으로 이해하기 어려운 면이 있다. 더 알기 쉽게 의사소통이 일어나는 과정을 알기 위해 시각디자인의 관점에서 기호학이론을 도입하여 의사소통의 원리를 찾아보았다.

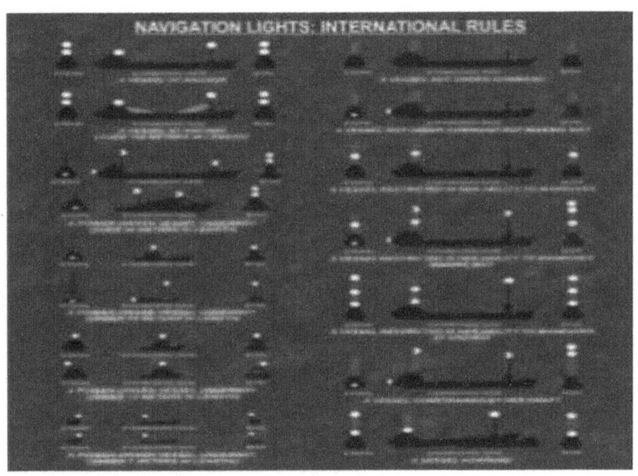

그림 95 해양교통 시각물(빛의 색상)의 소통방법

109) https://astrolabesailing.com/2015/02/09/colregs-lights-sailing-at-night/

항해중인 동력선

항해중인 배는 낮에는 별도의 형상물을 올리지 않지만 야간에는 표24와 같이 색상이 있는 등을 사용한다. 표24[110]에서 50미터 이상의 배는 백색등이 배의 맨 앞부분의 기둥상단에 위치하고 배의 조종실 방향 기둥 위에도 있다.

길이 50미터 이상	길이 50미터 이하

구분	표상체	대상체	해석체	해석기준
50m 이상	배 앞/중간의 백색 2개, 배 옆에 녹색과 빨간색	전/후방 마스트등 측면표시등 스턴라이트	길이가 50미터 이상인 항해중인 동력선, 왼쪽은 빨간색 오른쪽은 녹색	〈 상징기호 〉 길이 = 상부 백색등 수량 2개 : 50m이상 1개 : 50m이하 측면=녹색/빨간색 → 임의적 관습에 의해 만들어진 시각이미지
50m 이하	배 중간 1개 백색 1개 배 옆에 녹색과 빨간색	마스트등 측면표시등 스턴라이트	길이가 50미터 이하인 항해중인 동력선, 왼쪽은 빨간색 오른쪽은 녹색	

표 24 항해중인 동력선 야간등의 기호유형 분석

110) https://www.watersportmtc.com/post/colregs-101-part-4

그리고 진행하는 방향을 기준으로 왼쪽은 빨간색등, 오른쪽은 녹색등을 사용하고 후방에 백색등을 갖추고 있다. 이것은 배가 움직이는 경우 반드시 사용하는 빛으로 알려져 있다. 그 중에서 배의 길이가 50미터 이하인 경우 배의 앞부분의 등이 없어지고 조종실위의 등 1개만 남고 나머지는 동일한 것이 특징이다. 앞서 언급된 것처럼 움직이는 배의 측면색깔, 길이에 따른 백색등의 수량은 해당되는 규칙을 보지 않으면 그 의미를 이해하기 어렵다. 배의 왼쪽에 사용되는 빨간색과 오른쪽에 사용되는 녹색등은 19세기 후반 미국의 남북전쟁 이후 이런 규칙이 처음으로 만들어진 이후 현재까지 사용되는 것으로 방향과 색깔에는 직접적인 인과성은 없지만 만들어진 이후 오래된 관습과 규칙에 따라 사용되므로 상징기호이다. 그리고 배의 길이 50m가 넘는 경우 배의 선수 방향 기둥에 백색등 하나가 더 추가된다. 그 논리는 아래와 같다,

배의 신호 조명등 변화

a. 동력선(길이 50m이하)

= 조종실 상부 백색등 1개, 측면 빨간색/녹색등, 후방등

b. 동력선(길이 50m이상)

= 조종실 상부 백색등 1개, 측면 빨간색/녹색등, 후방등
+ 선수방향 백색등 1개 추가 (길이 50m 이상)

물에 잠긴 물체를 예인하는 경우

배가 작업을 하는 경우 조명 배치가 복잡해지는 경향이 있다. 아래의 표와 같이 어떤 작은 배가 뒤의 평평한 물체를 끌고 가는 상황이다.

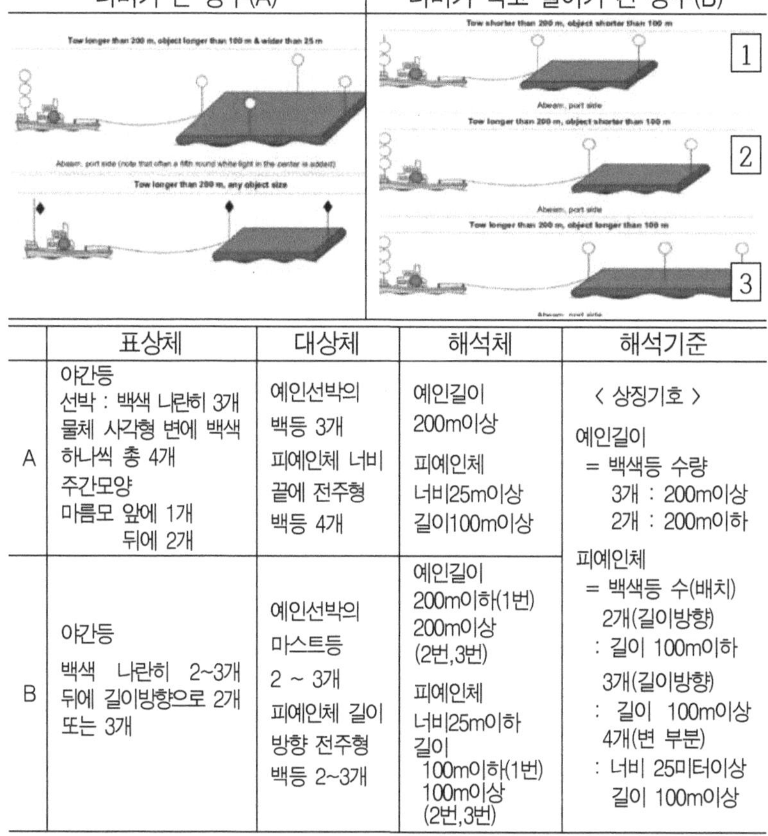

	표상체	대상체	해석체	해석기준
A	야간등 선박 : 백색 나란히 3개 물체 사각형 변에 백색 하나씩 총 4개 주간모양 마름모 앞에 1개 뒤에 2개	예인선박의 백등 3개 피예인체 너비 끝에 전주형 백등 4개	예인길이 200m이상 피예인체 너비25m이상 길이100m이상	< 상징기호 > 예인길이 = 백색등 수량 3개 : 200m이상 2개 : 200m이하 피예인체 = 백색등 수(배치) 2개(길이방향) : 길이 100m이하 3개(길이방향) : 길이 100m이상 4개(변 부분) : 너비 25미터이상 길이 100m이상
B	야간등 백색 나란히 2~3개 뒤에 길이방향으로 2개 또는 3개	예인선박의 마스트등 2 ~ 3개 피예인체 길이방향 전주형 백등 2~3개	예인길이 200m이하(1번) 200m이상 (2번,3번) 피예인체 너비25m이하 길이 100m이하(1번) 100m이상 (2번,3번)	

표 25 물에 잠긴 물체가 예인될 때 야간등과 주간형상의 기호유형 분석

떠 있는 물체의 크기와 모양 그리고 끌고 가는 줄의 길이에 따라 백색등의 수량과 위치가 달라지는 것이 특징이다. 너비가 25미터 미만인 경우 예인하는 경우 뒤에 끌려오는 물체에는 백색등을 앞뒤로만 배치한다. 그러나 폭이 25미터를 넘는 경우 끌려오는 물체의 좌측과 우측 변에 백색등을 설치한다. 또한, 물체의 길이가 100미터가 넘으면 끌려오는 물체의 중간에 백색등을 하나 더 올리면서 끌고 가는 예인 길이가 200미터가 넘으면 예인선 백색등이 3개가 된다. 이와 같이 앞의 예인선이 예인하는 줄의 길이가 백색등의 수량과 관련되어 있다. 또한, 끌려가는 물체에는 그 너비와 길이에 따라 백색등이 추가되는 경향이 있는 것을 확인할 수 있는데 예인 길이, 물체의 길이, 너비가 규칙에서 정해진 것으로 상징기호에 해당된다. 배는 표25와 같이 길이 50미터 이하의 동력선이 갖는 조명을 가지고 있는데 그 위에 예인 길이에 따라 백색등을 나란히 추가하는 방법을 사용하였는데 바로 아래 논리에서 관계가 나타난다.

a. 배의 백색등 변화(50미터이하 동력선, 200미터 이하 길이 예인)

동력선 + 물건 예인(길이 200미터 이하)

= (동력선) 상부의 백색등 1개, 측면 빨간색/녹색등, 후방등

+ (물건 예인(길이 200미터 이내)) 상부의 백색등(+1)

b. 배의 백색등 변화(50미터이하 동력선, 200미터 초과 길이 예인)

동력선 + 물건 예인(길이 200미터 초과)

= (동력선) 상부의 백색등 1개, 측면 빨간색/녹색등, 후방등

+ (물건 예인(길이 200미터 초과)) 상부의 백색등(+2)

터그보트가 배를 예인하는 경우

표26 그림[111]에서 작은 배가 뒤에 있는 배를 끌고 가는 상황이다. 이때 뒤의 배가 끌려가는 길이에 따라 예인선에 백색등이 달라지는 구조를 가지고 있다.

소형(50m 이하, 200m이하 피예인)(A)	대형(50m 이상, 200m이상 피예인)(B)
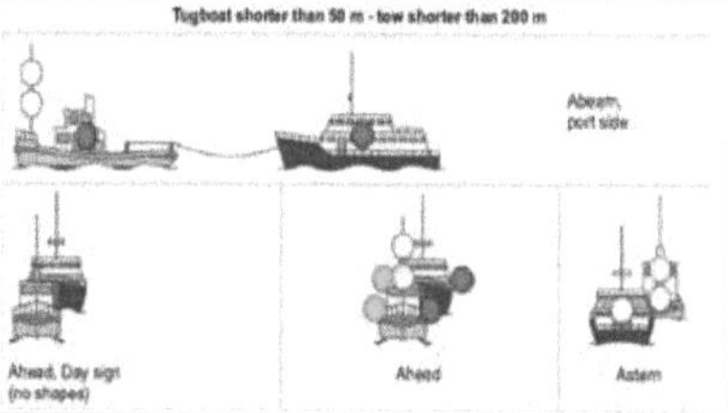 Tugboat shorter than 50 m - tow shorter than 200 m Abeam, port side Ahead, Day sign (no shapes) Ahead Astern	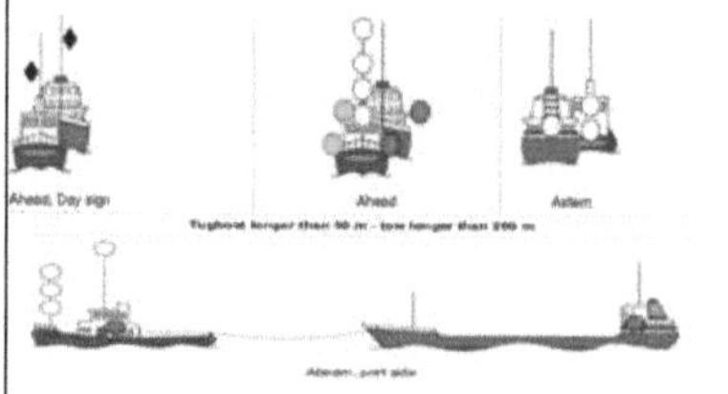 Ahead, Day sign Ahead Astern Tugboat longer than 50 m - tow longer than 200 m Abeam, port side

구분	표상체	대상체	해석체	해석기준
A	백색 나란히 2개 녹색/빨간색 뒤 녹색/빨간색	예인 마스트등 2개, 측면 표시등 피예인 측면표시등	피예인 길이 200m이하 소형 예인선 50m이하	〈 상징기호 〉 예인길이 = 백색등 위치수량 2개(1열) : 200m이하 3개, 1개(뒤에) : 200m이상 * 마름모꼴의 유무 →임의적 관습에 의해 만들어진 시각이미지 동력선 =백등/측면등/후면등 배치에서 동력선 추정 가능
B	백색 나란히 3개 뒤에 1개 녹색/빨간색	예인 마스트등 선수 3개 가운데 1개, 측면 표시등 피예인 측면표시등	피예인 길이 200m이상 대형 예인선 50m이상	

표 26 터그보트가 예인하는 배의 야간등과 주간형상의 기호유형 분석

111) https://www.watersportmtc.com/post/colregs-101-part-4

길이가 50미터를 넘지 않는 예인선은 그 위에 백색등 한 개만 추가하면 된다. 그러나 길이가 50미터를 넘는 예인선은 조종실 기둥위에 백색등 하나가 더 있다. 이것은 항해중인 50미터 이상의 동력선과 비슷하다. 이어서 끌려가는 배와 연결된 길이가 200미터가 넘으면 예인선의 백색등 하나가 더 추가된다.

a. 터그보트 백색등 변화 (길이 50미터이하, 예인길이 200미터 이하)
동력선(50미터 이하) + 배의 예인(길이 200미터 이하)
= (동력선) 상부 백색등 1개, 측면 빨간색/녹색등, 후방등
+ 상부백색등 1개 추가 (예인길이 200미터 이내))

b. 터그보트 백색등 변화 (길이 50미터이상, 예인길이 200미터 초과)
동력선(50미터 이상) + 배의 예인(길이 200미터 초과)
= (동력선) 상부 백색등 1개, 조종실 백색등 1개 측면 빨간색/녹색등, 후방등
+ 상부백색등 2개 추가 (예인길이 200미터 초과))

물에 잠긴 물체의 예인의 경우 예인선 백색등을 구성할 때 길이 50미터 이하의 동력선만 고려되었는데 배를 예인하는 경우에는 길이 50미터 이상의 동력선까지 고려하게 되었다. 또한 뒤에서 끌려오는 배의 경우 동력이 없기 때문에 동력선에서 설치하는 백색등이 없고 좌우를 알 수 있는 빨간색/녹색등만 설치되어있다. 결론적으로 예인하는 배는 이미 알려진 동력선의 백색등에 등을 1개 또는 2개를 추가하는 구조로 이미 알려진 상징에 부가된 의미를 추가하고 있다.

범선

표27의 범선[112]은 측면등과 후면등을 갖추고 있지만 앞의 표24의 동력선과 비교할 때 상부에 있어야 할 백색등이 없다. 이것은 범선과 동력선 조명의 유일한 차이로 보인다. 또한 길이 20미터 미만의 중소형 같은 경우, 하나의 위치에서 측면과 후면등을 모두 표시하는 특성이 있다. 따라서 정면에서 배를 보면 등이 녹색과 빨간색이 반으로 나누어서 보이는 효과가 있다. 상부에 백색등이 없는 것만으로도 동력에 의지하지 않는 배라는 점을 추정할 수 있으므로 상징기호 속에 내재된 지표성을 가지고 있는 것이다.

대형(20미터 이상)	중소형(20미터 미만)

구분	표상체	대상체	해석체	기호의 유형
대형	왼쪽 빨간색 오른쪽 녹색 뒤에 후면등	측면표시등 후면등	길이 20미터 이상의 범선	〈 지표기호 〉 범선유무 : 마스트 백색등 없음
중소형	불빛 하나에서 방향에 따라 왼쪽빨간색, 오른쪽 녹색, 뒤에 백색	3색 마스트 등 후면등	길이 20미터 미만의 범선	〈 상징기호 〉 길이 = 3색등을 사용한 경우 (20미터 미만) 3색등이 아닌 경우 (20미터 이상)

표 27 범선 야간등과 주간형상의 기호유형 분석

112) https://www.watersportmtc.com/post/colregs-101-part-4

동력식 범선

범선은 바람에서 동력을 얻지만 추진장치에 의해서도 동력을 얻는다. 이로 인해 동력을 사용하지 않을 경우 앞의 표27 범선의 야간등을 사용하고 동력을 사용할 경우 앞의 표24의 동력선 야간등을 사용하는 방식을 취하고 있다. 그러나 주간의 형상물이 독특하다. 꼭지점이 아래를 향하고 있는 삼각형 또는 원뿔을 사용하고 있는 것이다. 이와 같이 낮에 사용되는 역삼각형 모양은 동력이 있는 범선과 관련성을 알 수 없으므로 상징기호의 특성을 갖추고 있다. 그 외에도 조종실 상부에 백색등 한개, 측면등과 후면등의 구성만으로도 50미터이하의 동력이 있는 배라는 점을 추정할 수 있으므로 야간등의 배치는 그 배가 동력선을 의미하고 있다.

주간	야간

구분	표상체	대상체	해석체	기호의 유형
주간	역삼각형 모양	주간 형상물	동력식 범선	〈 상징기호 〉 . 역삼각형 모양은 범선을 의미
야간	상부 백색등 왼쪽 빨간색 오른쪽 녹색	마스트등 측면표시등 후면등	동력식 범선	〈 지표기호 〉 . 동력유무 마스트 백색등 항해중인 동력선과 동일한 형태와 배치

표 28 동력식 범선의 야간등과 주간형상의 기호유형 분석

트롤어선

트롤어선은 자루처럼 생긴 그물을 바다 밑에 띄워놓고 그물을 끌고 다니면서 홍어, 가오리, 갈치, 명태, 가자미, 조개, 새우 등을 어획하는 것으로 알려져 있다.[113] 배에서 어구를 내린 것은 그림96과 같다[114] 트롤 어선은 바다의 악천후를 견딜 수 있도록 설계된 강력하고 튼튼한 배였으며 영국에서는 트롤 어선을 이용하여 수중의 폭발물인 기뢰를 찾고 처리를 한 기록이 있다.

주간	야간

구분	표상체	대상체	해석체	기호의 유형
주간	2개 삼각형 꼭지점이 닿은 형상	삼각형 형상물 2개	트롤 어선	〈 상징기호 〉 마주보는 삼각형 2개 = 트롤어선
야간	위에 녹색등 1 아래 쪽에 백등 1	녹-백 마스트등 측면표시등 후면등	트롤 어선	〈 상징기호 〉 위아래 녹색1-백색등1 = 트롤어선

표 29 트롤어선의 야간등과 주간형상의 기호유형 분석

113) 한국생업기술사전
114) 2018 땅과사람들(8월호)어부의배, https://www.doopedia.co.kr/

그림 96 트롤어선 형상

역사에 따르면 1차 세계대전 당시 100여척의 트롤 어선을 동원하였고 당시에 큰 역할을 한 것으로 알려져 있다.[115] 이러한 역사로 트롤어선과 수중의 폭발물의 기뢰를 제거하는 것의 기호는 관련성을 맺고 있을 것으로 생각할 수 있다. 이와 같은 특성 때문인지 야간에 사용하는 상부분에 녹색등과 백색등을 활용한 신호는 유일하게 2가지인데 다른 하나는 뒤에서 설명할 기뢰작업에서 사용되는 녹색등과 백색등이다. 표 29의 그림[116]과 같이 이 신호는 규칙에 따른 상징기호이기도 하지만 역사적 배경이 담겨져 있는 것이다. 나머지 조명은 동력선에서 일반적으로 사용되는 측후면등과 상부의 백색등이다. 트롤어선이 50미터이하인 동력선인 경우 그림에서와 같이 조종실 위의 등을 사용하지 않을 수 있는데 동력선의 규칙을 준수한 것이다. 또한 낮에 사용하는 실제 형상은 그림 97과 같이[117] 상하에서 꼭지점이 서로 마주보는 삼각형 모양으로 트롤어선과 직접 관련은 없으나 규칙에 따른 것으로 퍼스의 상징기호에 해당된다.

115) https://www.mylearning.org/
116) https://www.watersportmtc.com/post/colregs-101-part-4
117) http://www.sailskills.co.uk/colregs/Sailskills_lights&shapes_trawling.html

그림 97 트롤어선과 형상물

일반어선

일반어선은 종류가 매우 많다. 국립수산과학원에서 공개한 어선의 종류만 36가지[118] 정도 되는데 위의 신호는 트롤어선 한 종류를 제외한 나머지 모든 종류의 어선을 의미하고 있는 것으로 분류되고 있다.

주간	야간
	Abeam, port side / Ahead / Astern

구분	표상체	대상체	해석체	기호의 유형
주간	2개의 삼각형 위아래 꼭지점이 닿은 형상 1 삼각형1개	삼각형 모양 형상물 2개	일반 어선	마주보는 삼각형2개+삼각형1개 = 트롤어선
야간	위에 빨간색 1 직선 아래 쪽에 백색 1 배 옆부분 백색1, 빨간색 1	빨간색-백 마스트등 측면표시등 백색-빨간색 후면등	일반 어선	위아래 빨간색-백색등 측면방향 백색-빨간색 = 일반어선

표 30 일반어선의 야간등과 주간형상의 기호유형 분석

118) https://www.nifs.go.kr/page?id=ship_mimetic

표시하는 방법 중에서 트롤어선이 중요한 부분을 차지하거나 의미가 있기 때문에 별도의 신호를 지니고 있는 것으로 보인다. 야간의 등을 보면 트롤어선에 달려있는 녹색-백색등과 달리 상부에 빨간색-백색등을 달고 있고 나머지는 트롤어선과 같은 동력선 각 등의 색상과 어업방법과 관련성은 없지만 두가지 종류를 구분하기 위해 녹색과 그 반대의 빨간색을 사용한 것으로 보인다. 이렇게 사용된 빨간색-백색등의 의미를 알기위해 규칙을 찾아야 하는 점을 고려하면 상징기호에 해당된다. 그 외에도 낮에 사용하는 형상은 트롤어선에서 사용되었던 상하에서 꼭지점이 서로 마주보는 삼각형 모양에 또 다른 삼각형 모양이 추가로 옆에 배치된 것이다. 추가된 삼각형 모양은 주간에 어구가 내려지는 방향을 의미한다. 야간에는 백색등이 어구가 내려지는 측면 방향에 설치된다.[119] 이러한 어업의 특성과 기하학 모양, 색상에는 관계성이 없으며 규칙에서 의미를 정한 것이므로 주야간 기호는 상징기호로 볼 수 있다. 실제 어선에서 사용되는 주간형상물을 보면 그림98과 같이 나타나는 것을 알 수 있다.[120]

그림 98 일반 어선과 형상물

119) https://m.blog.naver.com/psdrake0320/220597105816
120) http://www.sailskills.co.uk/colregs

폭발물 작업

트롤어선을 나타내는 야간 신호와 같이 영국에서는 1,2차 세계대전 당시 트롤 어선을 이용하여 수중의 폭발물인 기뢰를 찾고 처리를 한 기록이 있다.[121] 이러한 역사로 트롤어선과 바다 속에 설치된 폭발물인 기뢰를 제거하는 것과 관련된 기호는 이미 관련성을 맺고 있었던 것으로 볼 수 있기에 지표기호에 해당된다.

주간	야간	
Ahead, day signs (3 black spheres)	Ahead	Astern

구분	표상체	대상체	해석체	기호의 유형
주간	구형모양 좌우 상부 각각 1개	구형 형상물 3개	폭발물 작업	〈지표기호〉 구형물체 = 이동 제한 〈상징기호〉 구형 3개 = 기뢰작업
야간	녹색등이 좌우 상부 각각 1개	상부 녹색등 3개와 측면등 후면등	폭발물 작업	〈지표기호〉 녹색-백색등 양쪽 녹색등 = 기뢰작업

표 31 폭발물 작업의 야간등과 주간형상의 기호유형 분석

121) https://www.mylearning.org/

이와 같은 특성 때문인지 야간에 사용하는 상부분에 녹색등과 백색등을 활용한 신호는 트롤어선과 기뢰작업에서 모두 볼 수 있다. 그 외에 배의 양쪽에 녹색등을 사용하는 점이 특징이다. 주간형상의 경우 구형물체 3개를 사용하였는데 배에서 구형물체가 사용된 경우 대부분이 이동의 제한을 의미하므로 다음 페이지의 표32부터 정의된 배의 여러 가지 이동제한을 뜻하는 구성에서 모두 구형물체가 사용되고 있으므로 이동이 제한되는 것과 연관성이 있다는 점을 확인할 수 있다. 폭발물 제거 작업이 이동의 제한이 되는 상황에서 일어나는 점을 고려한다면 기존에 정의된 배의 이동제한의 의미가 사용된 특성이 나타난 것으로 구형의 사용은 지표기호에 해당된다. 그러나 구형의 배치와 수량에 있어서 구모양이 배의 좌우 상부에 각각 사용된 것은 그 모양에서 폭발물 작업과 직접적인 관련성을 알 수 없으나 규칙에서 그 의미를 정하고 있으므로 상징기호에 해당된다.

이동이 제한되는 경우

① 명령을 받지 않거나 기동능력의 제한

표32의 야간신호에서 동력선을 의미하는 조명을 사용하지 않고 있고 빨간등 2개를 나란히 사용한다. 주간에는 구형물체 2개를 사용하고 있는데 이동의 제한과 관련된 상황에서는 꼭 구형물체가 등장하는 것이 특징이다. 바다에서 모래를 퍼내는 준설작업의 경우에도 왼쪽에 구형 2개를 동일하게 사용한다. 준설작업은 이동을 하지 않는 상태에서 작업하기 때문이다. 또한, 이것은 앞에서 확인한 고립장애표지에서 구형 2개를 사용한 것을 참고할 수 있다. 이러한 이동이 제한되는 경우에 구형을 사용한 것은 지표기호에 해당된다.

주간	야간

구분	표상체	대상체	해석체	기호의 유형
주간	수직선상 구형모양 2개	구형 형상물 2개	명령을 받지 않거나 기동능력 제한	<지표기호> 구형물체 = 이동 제한 <상징기호> 구형 2개 = 명령받지 않음(정지)
야간	수직선상 빨간색 2개	빨간색등 2개 측면등, 후면등 없음	명령을 받지 않거나 기동능력 제한	<상징기호> 빨간색등 2개, 측면등, 후면등 없음 = 명령받지 않음(정지)

표 32 명령을 받지 않거나 기동능력의 제한되는 경우

② 정지나 이동 중에 이동이 제한됨

이번에는 표33과 같이 정지 중이거나 이동하는 중에서 이동이 제한되는 주간과 야간 기호가 있다. 즉 배가 고장이 나거나 어떤 작업을 해야 하는 여건으로 인해 이동이 제한된다는 의미를 가진 것이다.

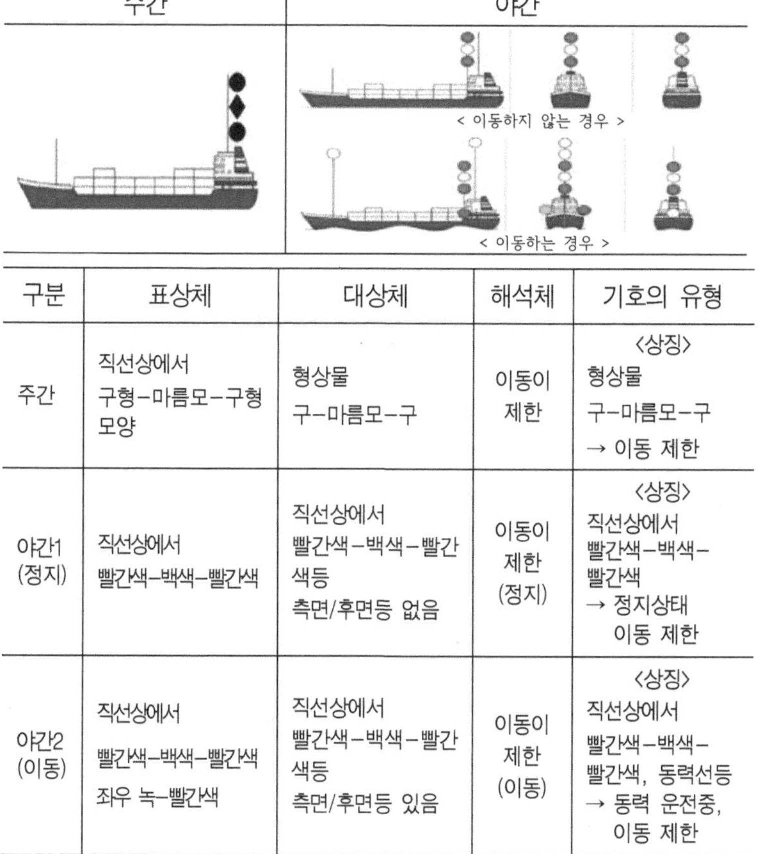

구분	표상체	대상체	해석체	기호의 유형
주간	직선상에서 구형-마름모-구형 모양	형상물 구-마름모-구	이동이 제한	〈상징〉 형상물 구-마름모-구 → 이동 제한
야간1 (정지)	직선상에서 빨간색-백색-빨간색	직선상에서 빨간색-백색-빨간 색등 측면/후면등 없음	이동이 제한 (정지)	〈상징〉 직선상에서 빨간색-백색- 빨간색 → 정지상태 이동 제한
야간2 (이동)	직선상에서 빨간색-백색-빨간색 좌우 녹-빨간색	직선상에서 빨간색-백색-빨간 색등 측면/후면등 있음	이동이 제한 (이동)	〈상징〉 직선상에서 빨간색-백색- 빨간색, 동력선등 → 동력 운전중, 이동 제한

표 33 이동이 제한되는 경우 주간과 야간 기호

특히 수중의 기뢰작업을 제외한 모든 선박의 조명 기호는 위 기호를 따르도록 하고 있다. 낮에 사용하는 형상은 구형-마름모-구형이고, 밤에 사용하는 등은 빨간색-백색-빨간색 등이다. 뒤에서도 설명이 이어지겠지만 준설작업과 같이 이동이 제한되는 경우도 동일한 신호를 사용하는 것으로 확인할 수 있다. 기호의 유형을 찾아보면 주간의 구형-마름모-구형과 야간의 빨간색-백색-빨간색등에서 직접적인 이동의 제한을 연상할 수 없으며 뜻을 확인하기 위해 규칙을 확인해야 하므로 이는 상징기호로 볼 수 있다. 그러나, 규칙을 보면 구형-마름모-구형과 야간에 사용되는 등은 수중작업, 준설작업과 같은 상황에서 함께 사용이 가능한 것을 알 수 있다. 그림 99의 작업선[122]에서도 구형-마름모-구형을 사용하는 것을 볼 수 있다. 따라서 기존에 정의된 구형-마름모-구형에 대한 의미를 알고 있다면 이러한 형태를 사용하는 비슷한 상황인 수중에서 작업하는 경우임을 유추할 수 있으므로 기호와 수중작업의 인과관계가 성립되어 지표기호가 된다.

그림 99 이동이 제한되는 경우의 사례

122) http://www.sailskills.co.uk/colregs/

③ 잠수작업을 하는 경우

잠수작업을 하는 경우 낮에는 깃발을 사용하도록 하고 있다. 국제코드에서 A를 의미하는 깃발을 사용하지만 오른쪽의 빨간색 바탕에 대각선방향 흰색 띠를 사용하기도 한다. 기록에 따르면 오른쪽의 빨간색 바탕의 깃발은 1950년도 미국의 한 잠수장비 업체를 운영하는 덴젤 제임스(Denzel James)가 고안한 아이디어가 널리 사용되면서 오늘날에 이르고 있다. 그는 잠수장비를 시험하는 동안 안전거리를 유지하기 위해 주변 선박에 경고신호를 보내고 싶어 했는데 깃발을 사용하는 것이 도움이 될 것이라는 생각을 하게 되었다.

주간	야간
	Abeam, port side / Ahead / Astern

구분	표상체	대상체	해석체	기호의 유형
주간	흰색–파랑 깃발 또는 빨간색바탕 흰색 깃발	국제기류신호	잠수 작업 중	〈상징기호〉 기류게양 → 잠수작업
야간	직선상에서 빨간색–백색– 빨간색	직선상에서 빨간색–백색– 빨간색 측면/후면등 없음	잠수 작업 중	〈지표기호〉 빨간색–백색–빨간색, → 잠수작업 (이동제한등과 동일)

표 34 잠수작업을 하는 경우 주간과 야간 기호

통상 전체가 빨간색인 깃발은 해군에서 위험물을 의미하는데 이 깃발에서 영감을 얻었다고 한다.[123] 또한 앞서 표33에서 이동제한이라는 의미를 가진 구형-마름모-구형의 의미를 설명하였지만, 잠수사가 작업하는 환경은 배가 이동하는데 제한이 있으므로 경우에 따라 동일한 모양을 사용하기도 하는 것을 아래 예를 통해서도 알 수 있다. 그림100은 호주에서 사용하는 잠수작업 기호를 인용한 것이다.[124]

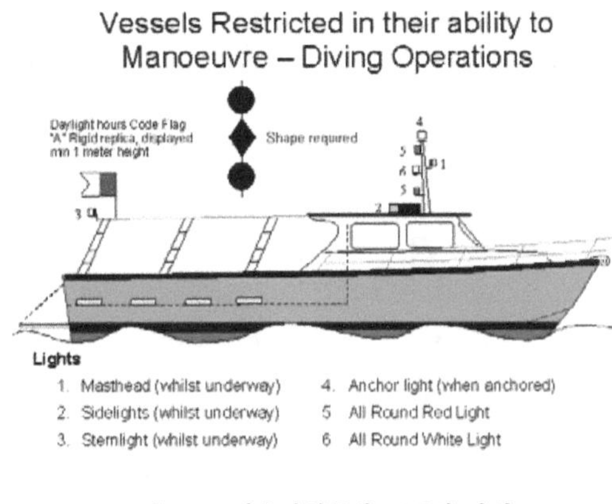

그림 100 잠수작업중인 보트의 사례

야간에 사용하는 등도 기하학 모양과 마찬가지로 이동의 제한을 의미하는 빨간색-백색-빨간색등을 사용한다. 이미 이동제한으로 알려진 상징기호를 이해하고 있는 것을 전제로 사용된 것으로 지표기호에 해당된다.

123) https://blog.diveba.se/divebase-investigates/the-diver-down-flag-a-quick-history-lesson/
124) https://www.scubadoctor.com.au/marine-flag-signals.htm

④ 준설작업을 하는 경우

주간	야간

구분	표상체	대상체	해석체	기호의 유형
주간	중앙 구형-마름모-구형 측면 구형물체 2개 마름모형 물체 2개	구형, 마름모 형상물 구성	준설작업 구형은 장애물 방향, 마름모는 안전방향	구형, 마름모 형상물 : 준설작업
야간	직선상 방향 빨간색-흰색-빨간색 빨간색-빨간색 녹색-녹색	상부 등화 빨간색-흰색- 빨간색 빨간색-빨간색 녹색-녹색	준설작업 빨간색은 장애물의 방향 녹색은 안전방향	〈 지표기호 〉 상부등 : 빨간색-흰색-빨간색 왼쪽등 : 빨간색 2개 → 제한과 장애물 〈 상징기호 〉 녹색-녹색 : 준설작업 중에 이동가능 방향

표 35 준설작업을 하는 경우의 주간과 야간 기호

준설이란 하천이나 강, 항로, 해안의 밑바닥에 쌓여있는 흙, 모래, 암석 등을 파내어 수심을 깊게 하는 작업을 말하며 파낸 흙이나 토사로 매립지를 만들어 농지, 공업단지 등을 건설하는데 사용하기도 한다.[125] 따라서 모래를 퍼내는 작업을 하는 동안에는 이동하는 것에 제한이 있을 수밖에 없다.[126]

125) https://www.letuinexpert.com (준설선 운전자 안전보건교육)
126) https://boattest.com/article/what-are-day-shapes (그림인용)

준설작업은 수중모래를 파내는 작업으로 수중작업에 해당되며 이것을 의미하는 구형-마름모-구형을 사용하고 야간에는 빨간색-백색-빨간색등을 사용하기도 하는데 실제모양과 배치는 그림101에서 확인할 수 있다. 배가 이동을 하는 경우에는 좌우측면등과 조종실 상부의 백색등이 켜지면서, 이동중인 선박의 의미가 부여된다. 주간형상인 구형 2개는 이미 설명을 한 것과 같이 명령을 받지 않은 선박을 의미하거나 고립장애항로표지의 상부에 사용된 구형 2개가 유사하게 제한이라는 의미로 사용된 것을 알 수 있는데 준설선의 주간 모양사용규칙에 따르면 장애물이 있는 경우 구형 2개를 사용하거나 빨간색등 2개를 사용하도록 하고 있다. 이는 작업을 하고 있는 방향으로 이동의 제한이라는 큰 의미에서 공통점이 있는 것이다. 또한 기존에 정의된 상징기호인 구형2개와 빨간색 2개를 유사한 의미에서 사용한 것으로 지표기호에 해당된다고 볼 수 있겠다. 반대쪽의 녹색등 2개와 마름모 2개는 다른 선박이 안전하게 지나갈 수 있는 면을 의미하고 있다고 하는데 이것은 규칙에서 정의한 것으로 상징기호의 특성이 있다.

야간등과 모양을 종합해 보면 다음 a, b의 조명과 모양의 조합을 생각해 볼 수 있겠다.

a. 야간등 구성

= (빨간색-백색-빨간색등(좌)) + (빨간색등 2개(중앙))

+ (녹색등 2개(우))

→ (수중작업) + (기동 제한) + 이동가능 방향

b. 모양 구성

= (구형-마름모-구형(좌)) + (구형 2개(중앙))

+ (마름모 2개(우))

→ (수중작업) + (기동 제한) + 이동가능 방향

그림 101 준설작업 기호의 사례

⑤ 배의 흘수로 인해 이동이 제한되는 경우

주간	야간
	Abeam, port side Ahead Astern

구분	표상체	대상체	해석체	기호의 유형
주간	원기둥 모양 물체	원기둥 형상물	배의 흘수로 인해 이동제한	〈 상징기호 〉 원기둥 형상물 : 배의 흘수로 인해 이동제한
야간	직선상 빨간색 3개 앞뒤 상부 백색등	상부 빨간색등화 3개 선수조종실선미 백색등	배의 흘수로 인해 이동제한	〈 상징기호 〉 직선상 빨간색 등화 3개 : 배의 흘수로 인해 이동제한

표 36 배의 흘수로 인해 이동이 제한되는 경우의 주간과 야간 기호

흘수제한선이란 가항수역의 수심 및 폭과 선박의 흘수와의 관계에 비추어 볼 때 그 진로에서 벗어날 수 있는 능력이 매우 제한되어 있는 동력선을 말한다. 표36에서 낮에는 검은색 원기둥모양을 사용하고 야간에는 빨간색 등 3개를 연이어서 사용한다. 이것은 앞에서 기술한 빨간색-백색-빨간색이나 빨간색-빨간색-빨간색 모두 이동이 제한되는 비슷한 의미를 지니고 있지만 현재의 경우는 배의 문제가 아닌 항구의 수심 특성으로 인해 이동 제한이 발생된 것이 중요한 차이점이 된 것으로 보인다.

'흘수(吃水)'란 배가 물 속에 잠기는 깊이를 나타내는 용어인데 배에 짐을 최대로 실은 상태에서 물에 잠기는 깊이를 '만재흘수(滿載吃水)'라고 하는데, 줄여서 '흘수'라고 한다.[127]

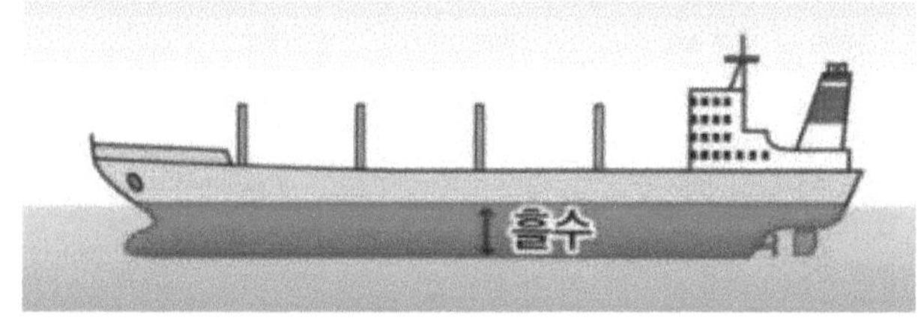

그림 102 배에서 흘수의 의미

12년도 보도된 기사를 보면 그림103과 같이 수심으로 배가 이동하는 경로에 제한이 발생되는데[128] 어떤 항구의 경우 중량 20,000톤이 넘는 배가 입항해 선적하면 배 밑이 바닥에 닿는 것을 우려한 사례가 있다. 항구의 특성에 따라 다른 진로로 이동이 제한되므로 흘수제한선이라는 용어를 사용한 것으로 보이는데 이에 대한 표시로 원기둥모양을 사용한 것이다. 그러나 원기둥의 모양, 빨간색 야간등이 3개인 것과 배의 흘수가 제한된다는 것의 의미상 직접적인 관련성은 없다. 따라서 상호 약속으로 정한 의미를 찾아야 하므로 상징기호이다.

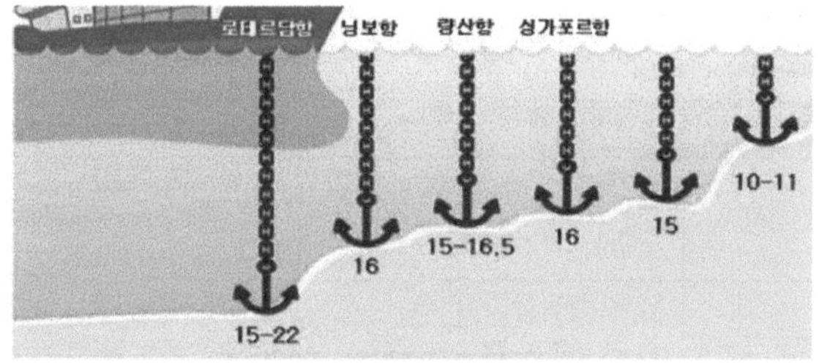

그림 103 항구별 수심 현황

127) https://www.busan.com/view/busan/ (부산일보)
128) http://www.ohmynews.com/NWS_Web/View/at_pg.aspx?CNTN_CD=A0001789536

정박(앵커링)한 선박

낮에는 한 개의 구형모양을 올리고 있고 야간에는 배의 앞쪽인 선수의 상부에 백색등과 후미등을 사용하고 측면을 의미하는 조명은 사용하지 않고 있다. 야간등 기호유형을 보기 위해 항해중인 동력선의 기호를 확인하였으며 배가 이동할 때 사용되는 것으로 규정된 측면등(왼쪽 빨간색, 오른쪽 녹색등)이 없으므로 이동하지 않는 상태의 인과관계가 있으므로 지표기호로 판단하였다. 또한, 주간형상의 경우 앞에서 구형 형상이 사용된 경우를 모두 찾아보면 폭발물작업, 준설작업, 잠수작업과 같이 이동이 제한 상황에만 사용되었다. 따라서 기존의 의미를 통해 구형 물체가 사용되면 이동이 제한된다는 점과 인과관계가 있음을 알 수 있으므로 이동이 제한되는 정박 상황에서 구형 물체가 사용된 지표기호에 해당된다.

주간	야간		
	Abeam, port side	Ahead	Astern

구분	표상체	대상체	해석체	기호의 유형
주간	구형 1개	형상물 구형	정박	〈 지표기호〉 형상물 구 → 이동제한 → 정박
야간	앞뒤 백색등	앞뒤 백색등 측면/후면등 없음	정박	〈 지표기호〉 백색등 2개(앞뒤방향) → 정지상태 (측면등 없음)

표 37 정박한 경우의 주간과 야간 기호

좌초선박

국어사전에서 좌초란 배가 암초에 얹힘을 의미한다. 배의 부위가 돌과 충돌하여 움직일 수 없는 상태가 된 것이다. 이에 따라 표38을 보면 동력선의 조명을 사용하지 않으며, 빨간색등 2개를 사용하였고 구형 3개를 나란히 올렸고 배이 이동제한 중에서 가장 상태가 좋지 않은 좌초를 의미한다. 구형 3개의 의미를 유추한다면 구형물체를 사용하는 것이 이동제한을 내포하고 있는데 그 정도에 따라 구형이 증가하는 것으로 생각해 보았다. 구형 1개는 앞의 표37에 따라 정상적으로 정박 중인 상태, 구형 2개는 앞의 표32에 따라 명령을 받지 않아서 이동이 제한된 상태이다.

주간	야간

구분	표상체	대상체	해석체	기호의 유형
주간	직선상에서 구형 모양 3개	구형 형상물 3개	좌초 선박	〈지표기호〉 구형 형상물 3 → 이동 제한
야간	직선상에서 빨간색-빨간색 앞뒤 백색등	직선상에서 빨간색-빨간색등 선수미등 있음 측면등 없음	좌초 선박	〈지표기호〉 빨간색-빨간색등 + 정박등 → 좌초

표 38 좌초한 경우의 주간과 야간 기호

2가지를 조합하여 구형 2개(표32)에 구형을 하나(표37) 더 올린 구형 3개에서는 제한되는 정도가 매우 높아진 것으로 '좌초'를 연상해 볼 수 있을 것이다. 그렇다면 모양의 조합을 생각해볼 수 있다. 야간등의 경우 이동제한(명령을 받지 않은 선박)을 의미하는 빨간색등 2개와 정박을 의미하는 선수상부 백색등 1개와 후미등 1개를 사용(표37)하여 좌초를 표현하는데 기존 의미가 있는 조명등을 조합하여 사용한 것이다. 이동이 제한되는 정박으로 이동제한과 관련된 의미 2개를 합쳐서 배의 가장 큰 이동제한인 좌초로 이해할 수 있을 것이다. 기존의 조명에 대한 상징기호의 조합으로 유추를 통해 의미의 인과성을 알 수 있으므로 지표기호의 성질이 있다.

a. 야간등 구성

= (빨간색 등 2개) + (선수 상부백색등 1개/후미등 1개)

= 이동능력 제한 + 정박등 → 좌초상황

모양의 경우도 야간등과 마찬가지로 구형을 아래와 같이 합쳐서 나란히 사용할 경우 조명의 조합과 동일함을 알 수 있다. 따라서 기존 모양의 조합으로 유추를 통해 의미의 인과성을 알 수 있으므로 지표기호에 해당된다.

b. 모양 구성

= (구형 2개) + (구형 1개) = (구형3개)

= 이동능력 제한 + 정박중 → 좌초상황

바다의 인공시설

< 발전시설 >

바다의 인공시설은 최근 증가하고 있는 추세에 있다. 인공 시설물들 중에서 전기의 생산을 위한 시설로 해상풍력, 조류 발전, 파력발전의 구조물을 들 수 있다. 그러나 이러한 구조물도 운항중인 선박에 위험요소가 될 수 있기 때문에 안전을 위해 자신의 상태와 위치를 표시하는 방법을 사용하고 있는데 그 방법으로 항로표지의 기능을 사용하고 있다.

표 39 바다의 인공시설 사례

바다위에서 바람으로 전력을 생산하는 풍력의 경우 기둥의 일정 높이에 노란색 띠를 활용하였고 다른 특별한 색상을 확인된 것이 없었다. 노란색 특수표지의 기둥색상과 동일한 노란색을 사용한 것이다. 프로펠러가 돌아가는 모습에서 풍력발전을 볼 수 있기에 전체 모양은 도상기호에 해당된다. 그러나 앞장의 특수표지에서 언급된 것과 같이 노란색 띠 부분은 경고의 의미를 지닌 것으로 바다에 부유하고 있거나 바닥에 고정된 방법에 따라 노란색을 적용하는 부위가 달라지는데 특수표지를 연상할 수 있다는 점에서 지표기호의 특성이 나타난다. 반면에 전력생산 시설이 수중에 있는 경우는 표기방법이 달라진다. 암초나 저수심을 의미하는 고립장애의 색상과 구형모양 2개를 사용하였다. 건물의 모양이 부표와는 달라도 색상과 상부의 구형모양 2개로 고립장애를 연상할 수 있다.

구분	표상체	대상체	해석체	기호의 유형
해상 풍력	기둥부분 노란색 부유식은 바다에 닿는 부분까지 노란색	특수표지와 유사함	해상풍력 (수상구조)	〈 도상기호 〉 노란색 기둥모양 → 해상풍력
조류 발전	빨간색-검은색 검은색 구 2개 수면 위 탑형상	고립장애물 표지와 유사 (타워형태)	조류발전 (수중구조)	〈 지표기호 〉 타워형 검정바탕 빨간색띠 → 수중물체
파력 발전	빨간색-검은색 검은색 구 2개 수면 위 구조물	고립장애물 표지와 유사 (건물형태)	파력발전 (수중구조)	〈 지표기호 〉 건물형 검정바탕 빨간색띠 → 수중물체

표 40 바다의 인공시설에 사용된 기호의 유형분류

129) IALA, G1162 THE MARKING OF OFFSHORE MAN-MADE STRUCTURES edition 1.1, 2021

참고문헌

□ 단행본 및 보고서

주 강현, 등대의 세계사, 서해문집, 2018

주 강현, 등대여행, 생각의 나무, 2007

고재우, 임봉택 & 최창묵, 재미있는 항해학 개론, 세종출판사, 2016

이은, 해양교통관제시스템론, 해인출판사, 2005.7.

숀홀, 기호학 입문 의미와 맥락, 비지앤비즈, 2009

박영원, 광고디자인의 기호학. 서울: 범우사, 2003

투쎙, 베르나르 「기호학이란무엇인가」, 오늘의 시민서당, 1987

제임스 리슈카, 퍼스 기호학의 이해, 이윤희 역, 한국외국어대학교, 2013

컬러의 기억과 마력, 반디모아, 2014

조영제, 권명광, 안상수, 이순종, 『디자인사전』, 안그라픽스, 2000

이경돈, 최정수, Safety Design 안전디자인, 서우출판사, 2014.7

로라페리먼, 컬러의 일, 윌북, 2022

해양수산부, 항로표지의 기능 및 규격에 관한 기준

M-NAV-Solutions-Buoy-Catalogue-rev1.1

□ 논문 및 기타

이가영, 시각디자인으로서 항로표지 시각물의 조형성과 기호학적 분석 - 퍼스(Peirce)의 기호학적 유형분류를 바탕으로 -, 공간디자인학회논문집, 2021, vol.16, no.1, 통권 70호

IALA, G1162 THE MARKING OF OFFSHORE MAN-MADE STRUCTURES edition 1.1, 2021

오늘의 현대미술론, 퍼스의 기호학|작성자 문화벌레

박진숙, 그래픽심볼 국제표준의 기호학적 유형분류에 대한 실증적 연구, 디자인학연구, 2010, vol.23, no.3, 통권 89호

투데이에너지, 제주도 첫 파력발전소 준공 2016.7

□ 인터넷 사이트

http://www.ohmynews.com
https://www.busan.com/view/busan/ (부산일보)
https://boattest.com/article/what-are-day-shapes(그림인용)
https://www.letuinexpert.com (준설선 운전자 안전보건교육)
http://www.sailskills.co.uk/colregs/
https://www.mylearning.org/
https://m.blog.naver.com/psdrake0320/220597105816
https://www.nifs.go.kr/page?id=ship_mimetic
https://www.watersportmtc.com/post/colregs-101-part-4
https://www.mylearning.org/
https://www.doopedia.co.kr/
http://www.woorimarine.com/product/item.asp?id=22
https://www.safe-skipper.com
https://daesan.mof.go.kr/ko/page.do?menuIdx=3135
https://sabik-offshore.com/products-applications/
https://labts.co.id/hr-wallingford-developed-tidal-turbine-collision-predictor/
http://www.see.murdoch.edu.au/resources/info/Tech/tidal/
https://www.marinebuoy.com/navigation-buoys/special-mark-buoys/
https://www.ybw.com/features/navigation-essential-buoys-marks-8611
https://en.wikipedia.org/wiki/X_mark
https://ko.wikipedia.org/원기둥
https://lakehub.com/boating/what-do-buoy-colors-mean/
http://www.hiseamarine.com/west-cardinal-mark-5030.html
TRIDENT-3000, 3000mm dia. Ocean Buoy catalog
wikipedia.org/wiki/오스트발트_색_체계
https://incheonport.tistory.com/4399
http://www.zeno.org/Meyers-1905/A/Tonnen